모든 것은 순조롭게 시작되었다.
순풍이 불었고, 식량은 풍부했으며 굴절된
하늘은 다양하게 변화하는 태양을
보여 주었다.

예상보다 빨리 겨울이 몰아 닥쳐
바렌츠의 배는 빙해에 갇히고 말았다.
얼어붙은 바다 위에서 겨울을 보내야 했다.

9월 초였지만, 폭풍이 계속 휘몰아쳤다.
눈보라 속에서 선원들은 겨울을 지낼 피난처를
마련했다.

북극곰의 지방을 연료로 사용했고,
곰가죽으로 옷을 지어 입었다.
얼음 속에서 배가 서서히 쪼개지고 있었다.
선원들은 배를 해체하여 선재(船材)로 집을 지었고,

5월 말 기다리던 봄이 왔다.
그들은 배의 잔해를 짜맞추어 보트를 만들었다.
유럽을 향해 돛을 올렸다.
그러나 기력이 쇠진한 바렌츠는 항해 도중
북극해 노바야젬랴의 해변가에서 죽음을 맞았다.

차례

극지방을 향한 대도전 Le Grand Défi des pôles

베르트랑 앵베르 Bertrand Imbert
해군 장교로 근무했었던 베르트랑 앵베르는 1949년 아델리 랜드로 가는
최초의 프랑스 탐험대에 참가했으며 1950년에는 바레 탐험대에
합류했다. 1955년 과학 아카데미에서 지구관측년 남극탐험대의 지휘권을
부여받고 1957년에 다시 아델리 지역에서 겨울을 보냈다. 극지방 및
과학 관련 잡지들에 다수의 논문을 기고하기도 했다.

옮긴이 : 권재우
1962년 서울 출생. 한국 외국어대학교 불어불문과와 동 대학원을
졸업하였다. 현재 KCC에서 통역 및 번역을 하고 있다.
번역서로는 〈완전 범죄〉 〈목소리의 씨앗〉 등이 있다.

극지방을 향한 대도전

Bertrand Imbert

시공사

고대인은 지구의 끝에 대해 얼마나 알고 있었을까? 고대 문명세계의 중심은 지중해였다. 동양과의 교류도 있었지만, 다른 세계에 관심을 가지는 것은 단지 철학자뿐이었다. 그리스인은 남반구에 대해 궁금해했는데, 플라톤과 피타고라스는 균형을 잡아 세계가 한쪽으로 기우는 것을 막아 주는 대륙이 그들의 세계 반대편에 있다고 믿었다. 그들은 이곳을 안티크톤(Antichthon)이라 불렀다.

제1장

세계의 끝

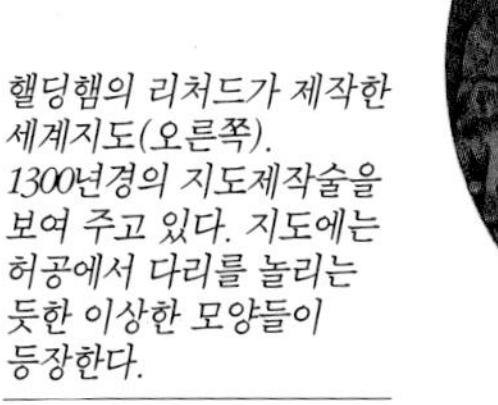

헬딩햄의 리처드가 제작한 세계지도(오른쪽). 1300년경의 지도제작술을 보여 주고 있다. 지도에는 허공에서 다리를 놀리는 듯한 이상한 모양들이 등장한다.

안티크톤에는 대척지 사람들(Antipodes, 본뜻은 허공을 걷는 사람들)이 살고 있는데, 그곳은 열탕처럼 들끓는 바다로 이루어진 무더운 열대지역으로 둘러싸여 있다고, 게다가 사나운 괴물들이 지키고 있다고 그리스 사람들은 생각했다.

"지식인과 일반인 사이에 격렬한 논쟁이 일어났다. 논쟁의 핵심은 인류가 지구 곳곳에 분포되어 있으며, 서로를 향해 발을 마주 대고 서 있다는 것이다."

플리니우스 《박물지》

15세기의 인문주의자들은 미지의 대륙에 대해 새로운 견해를 품게 되었다

1475년, 프톨레마이오스의 《지리학》이 인쇄되었다. 이 알렉산드리아 출신 그리스인은 2세기에 땅과 하늘의 지도를

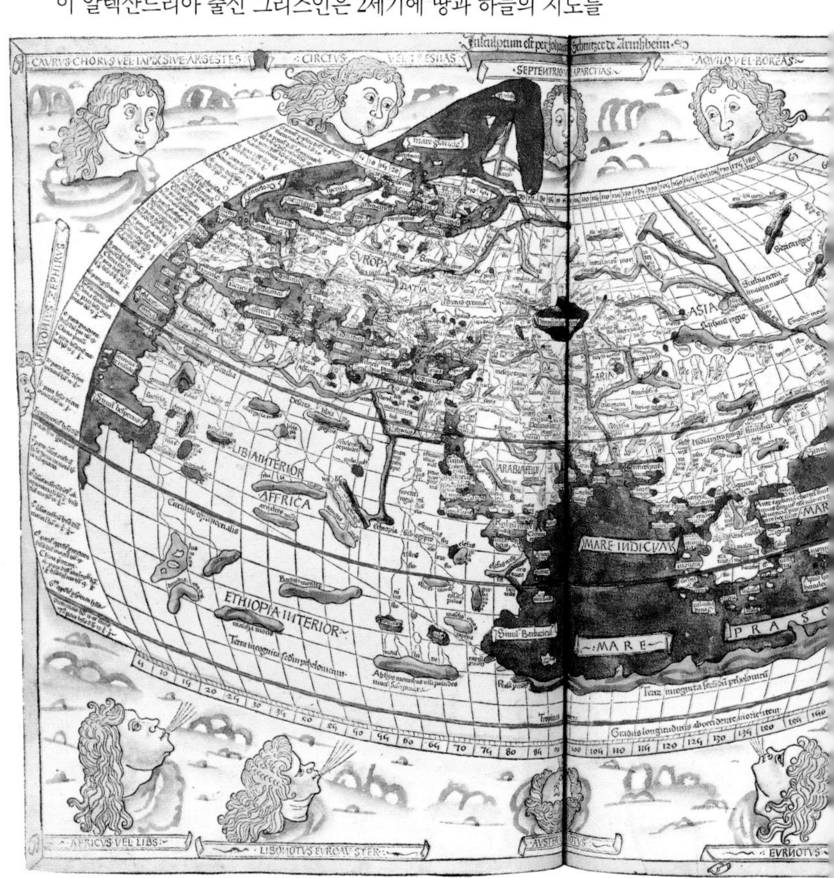

작성했다. 이 지도는 남위 20도 부근에서 '미지의 땅(terra incognita)'과 경계를 이루고 있는 인도양을 보여 준다. 지도는 16세기 말까지 수차례 판을 거듭해서 인쇄되었고, 그의 견해는 르네상스 시대 지식인에게 폭넓게 받아들여졌다(아래 그림은 이 지도의 복제품이다).

그런데 이 시기는 지리상의 발견 시대와 일치한다. 1497년에 희망봉을 거쳐서 인도까지 항해해 갔던 바스코 다 가마는 인도양이 내해(內海)가 아님을 입증했다. 다 가마보다 앞서 정화(鄭和)가 지휘하는 적어도 62척의 선박으로 구성된 중국 탐험대도 이 사실을 증명한 적이 있다.

실리적이었던 포르투갈의 항해가들은 대척지 사람들에게 별다른 관심이 없었다. 그들의 최우선 목표는 남반구로의 항로 개척이었다. 그런데 남반구에서 그들이 발견한 것은 열대지역이나 열탕처럼 들끓는 바다가 아니라 녹색식물과 새로운 사람들이었다. 지구 반대편에 사는 사람들에 대한 프톨레마이오스의 생각은 오류임이 밝혀졌고, 옛사람들의 지식은 수정되어야 했다. 1488년에 바르톨로뮤 디아스는 아프리카 최남단 희망봉을 발견했고, 그후 바스코 다 가마는 희망봉을 지나 인도항로를 개척했다.

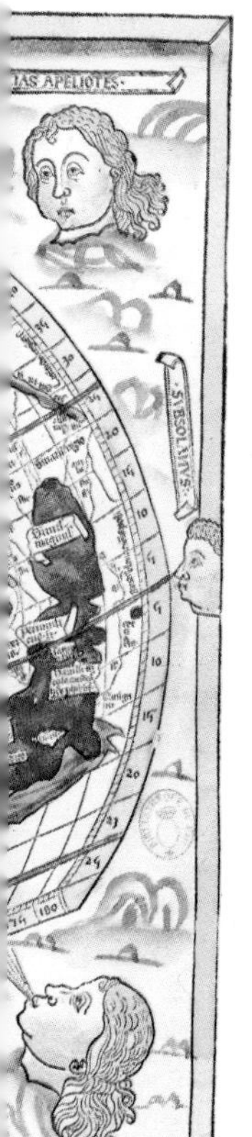

1520년, 마젤란은 서쪽 항로를 찾기 위해 남아메리카 해안선을 따라 내려가고 있었다. 남위 52도 지역에서 그는 태평양과 대서양을 잇는 지금의 마젤란 해협을 발견했다. 그는 남극대륙의 북단을 발견했다고 확신하고, 이곳을 '불의 땅(Tierra del Fuego)'이라 이름붙였다.

최초의 현대적 지도가 탄생된 것은 1570년으로 거슬러 올라간다. 네덜란드 지리학자 오르텔리우스가 이러한 지리상의 발견 성과를 종합한 것이지만, 남반구의 땅들은 여전히 모호하게 묘사되어 있다. 오늘날 우리가 불의 땅으로 알고 있는 곳과, 오스트레일리아, 뉴질랜드, 남극대륙이 하나의 거대 대륙으로 표시되어 있는 것이다.

17세기 네덜란드 항해가들은 거대한 남극대륙의 신화를 벗겨 냈다

1616년, 르메르와 슈텐은 희망봉을 항해했고, 불의 땅이 섬이란 사실을 밝혀 냈다. 25년 후 아벨 타스만은 자신도 모르는 사이에 오스트레일리아를 일주하여 태즈메이니아와 그가 남극대륙의 극단이라고 판단한 뉴질랜드 서쪽 해안을 연속해서 발견했다.

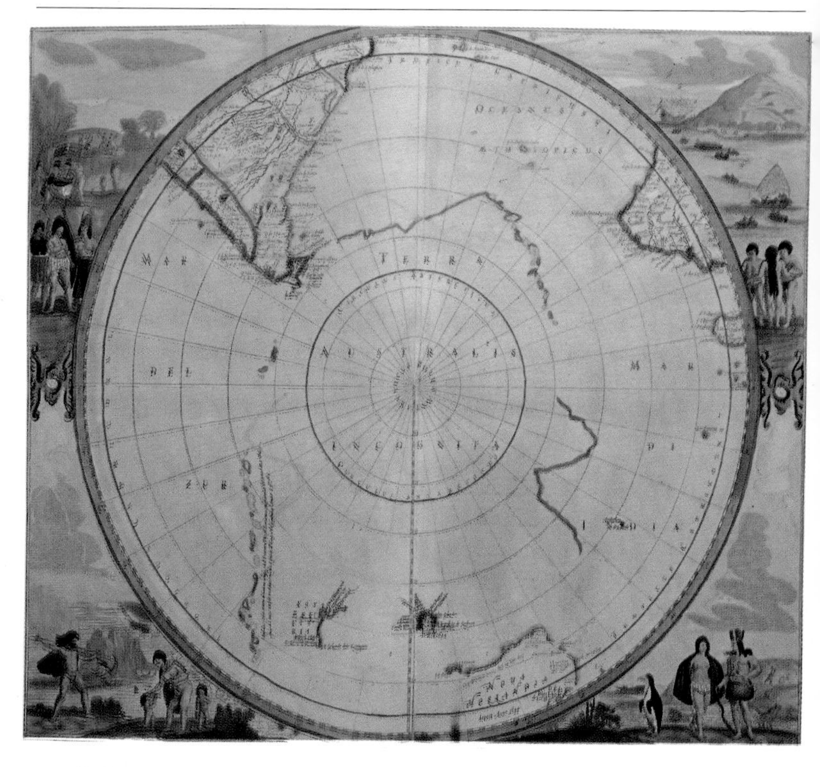

그렇지만 사람들은 이 황무지에 별다른 관심을 기울이지 않았다. 서구는 풍요로운 아시아 시장에 더 많은 관심을 집중시켰고, 따라서 남쪽으로의 탐험은 당분간 중단될 수밖에 없었다.

17세기의 남극 지도(위)와 북극 지도(오른쪽 위). '북극(Arctic)'은 그리스어 아르크토스(arktos)에서 유래된 말로 곰을 뜻하며 큰곰자리와 관련을 가진다. 그러므로 이 말은 북쪽을 가리킨다고도 할 수 있다. 그리스인은 안타르크토스(antarktos)라는 말로 반대쪽 극지방을 나타냈다.

북쪽으로 진출을 시도한 항해가도 있다

북쪽으로 돌아서 중국대륙에 이르는 새로운 길을 발견하는 것은 유럽 군주들의 오랜 숙원이었다. 여기에는 두 가지 길이 있는데, 첫번째는 북아메리카 해안을 우회해서 북서쪽으로 가는 길이고, 두번째는 시베리아 해안을 따라서 북동쪽으로 가는 길이다. 탐험가들은 두 개의 항로 개척에 커다란 노력을 기울였다.

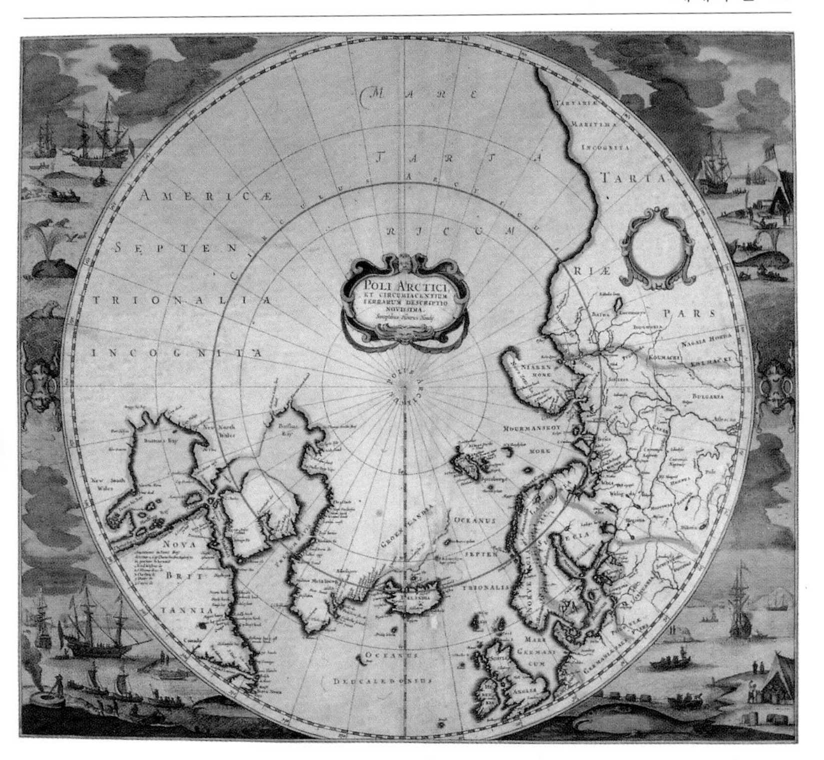

북서항로를 찾은 프랑스인과 영국인

프랑수아 1세는 피렌체 출신 항해가 조반니 다 베라차노를 북쪽 바다로 파견했다. 베라차노의 임무는 크리스토퍼 콜럼버스가 도달한 지역을 지나 중국으로 가는 항로를 개척하는 것이었다. 1524년, 베라차노는 어떤 만에 정박하고는 중국항로의 입구를 발견했다고 생각했다. 그러나 그곳은 허드슨강의 하구로서 장차 뉴욕이 들어설 장소였다. 10년 후, 자크 카르티에는 세인트로렌스강 어귀를 발견했고, 이듬해 1535년에는 1,000km나 강을 거슬러 올라가 인디언 마을에 도달했다. 그는 이곳을 몽레알(오늘날의 몬트리올)이라 이름붙였다.

엘리자베스 1세의 격려를 받은 영국 항해가는

프랑스의 항해가이자 탐험가 자크 카르티에.

더 북쪽으로의 진출을 꾀했다. 1576년에서 1578년 사이 마틴 프로비셔는 장차 허드슨 해협(캐나다)이라 부를 곳을 따라 북위 60도 부근까지 나아갔다. 1585년, 엑서터와 런던의 상인들은 중국으로 항해하는 새 탐험대에 재정지원을 했다. 탐험대의 대장 존 데이비스는 탁월한 항해가이자 수로측량사로 위도를 정확히 측정해 주는 4분의(6분의의 전신)의 발명자이기도 하다. 세 번에 걸친 탐험에서 데이비스는 그린란드 서쪽 해안과 캐나다 군도 사이 거대한 해협을 북위 72도까지 지도에 기록할 수 있었다. 불행하게도 그는 6월 말에 이 지점에 도착했는데, 이 지역을 통과하기에는 너무 이른 시기였다. 부빙군(ice pack, 물 위에 떠 있는 얼음의 무리)에 막혀 북쪽으로도 서쪽으로도 전진할 수가 없었다.

영국인 헨리 허드슨의 항해로

네덜란드인의 지원을 받은 헨리 허드슨은 1609년 암스테르담을 출항하여 베라차노의 항로를 따라갔다. 그는 오늘날 그의 이름으로 불리는 허드슨강과 그 주변 지역을 탐험했다. 허드슨이 탐사한 지역 중 맨해튼섬은 네덜란드인이 인디언에게 이 땅을 구입한 뒤 뉴암스테르담이라고 불린다.

1610년, 허드슨은 이번에는 영국인의 지원을 받아 디스커버리호를 타고 다시 항해를 떠났다. 그의 배에는 22명의 선원이 승선했으며, 그중에는 열일곱 살 된 허드슨의 아들 존도 있었다. 여행의 목적은 데이비스가 발견했던 해협을 항해하는 것이다.

모험가이자 해적인 마틴 프로비셔(18페이지)는 바다생활에 익숙해 있었다. 1576년 6월, 프로비셔는 중국으로 가는 북서항로를 찾기 위해 출항했다. 항해중에 만난 에스키모인은 바다표범 가죽으로 만든 카약을 타고 다녔는데, 선원들은 카약을 무척 신기해했다. 그러나 프로비셔 원정대와 에스키모의 관계는 급격히 악화되고 말았다. 프로비셔는 폭동을 일으킨 에스키모인 포로를 한 명 데리고 영국으로 귀환했다.

그는 8월 초 그곳에 도달했고, 오늘날 허드슨만으로 불리는 거대한 내포(內浦)를 통과했다. 디스커버리호는 남쪽으로 선수를 돌려 약 1,100km를 나아갔지만, 너무 지체했던 탓에 빙해 한가운데서 겨울을 나야 했다.

이듬해 봄 폭동이 터지고 말았다. 폭동을 일으킨 선원들은 허드슨의 아들과 여전히 허드슨을 따르는 일곱 명의 승무원을 그와 함께 작은 보트에 하선시킨 후 디스커버리호를 타고 영국으로 되돌아왔다. 반란 주동자들이 귀환중에 죽었기 때문에 영국 법정은 생존자들을 기소하지 않았다.

7개월 간 계속되던 겨울이 지나고 디스커버리호는 마침내 빙해에서 벗어날 수 있었다. 이 무렵 선장 허드슨과 선원들의 관계가 더욱 험악해졌다. 허드슨은 다른 선원들이 식량을 감추어 둔다고 의심하면서, 배급제를 실시하고 몇몇 선원에게는 특혜를 주었다. 이로써 그는 폭동이 일어날 여지를 충분히 만든 셈이었다. 결국 1611년 6월 23일 폭동이 일어났고, 반란자들이 디스커버리호를 점령했다. 그들은 허드슨과 그를 지지하는 일곱 명의 승무원과 허드슨의 아들을 묶어 보트에 옮겨 실었다. 보트에 제공된 식량은 작은 고기 자루가 전부였다. 오른쪽 그림은 존 콜리어가 그린 〈헨리 허드슨의 마지막 항해〉이다.

윌리엄 배핀은 북서항로는 존재하지 않는다고 주장했다

당대 최고 항해가들 중 하나였던 윌리엄 배핀은 1615년과 1616년 사이에 두 차례의 탐험을 시도했다. 첫번째 탐험에서는 그린란드 북쪽 해안 북위 78도까지 진출했고, 두번째 탐험에서는 캐나다 군도 연안을 따라 항해했다. 마침내 그는 북서항로의 입구인 랭카스터 해협에 접근할 수 있었지만, 하나의 만(灣)에 불과할 것이라고 판단한 그는 더 이상 전진할 것을 포기했다.

영국으로 돌아온 그는 북서항로가 존재하지 않음을 다시 한번 확언했다. 결국 캐나다와 미국 식민지 개발에 몰두해 있던 프랑스와 영국은 차츰 북서항로에 관심을 잃어 갔고, 북서항로 개척은 2세기 후에야 재개되었다.

또 다른 항해로, 시베리아 해안을 따라서 백해와 베링 해협을 연결하라

북동항로는 북해의 거대한 두 해양국가 영국과 네덜란드에게 큰 주목을 받고 있었다. 그들 국가는 공공연한 싸움 없이 스페인, 포르투갈이 인도 항로에서 행사하는 독점권을 약화시키는 일에 골몰하고 있었다. 게다가 당대 지리학자들의 주장에 따르면 북동항로가 남쪽의 인도 항로보다 두 배나 더 짧았는데, 따라서 이 항로의 개척은 그만큼 매력을 지녔다.

메르카토르 같은 지도제작자들이 만든 지도에는 시베리아가 훨씬 작게 그려져 있으며, 타이미르 반도를 지나 남동쪽으로

굴곡을 그리다가 갑자기 남쪽으로 꺾어져 내려간다. 엄밀히 말해 이것은 실제 중국으로 가는 길을 반으로 줄인 셈이다. 또한 빙해와 싸우며 항해해야 하는 어려움조차 과소평가되어 많은 탐험가들이 앞다투어 북동항로 개척에 나서게 되었다.

영국과 러시아의 관계 증진, 북동항로 개척은 뒷전으로 밀려나다

1553년 휴 윌러비 경은 세 척의 탐험선을 지휘하여 북동쪽으로 떠났다. 배들은 스칸디나비아 북부 연안 바르도섬 부근에서 만날 예정이었다. 두 척의 배인 보나 에스페란자와 보나 콘피덴티아는 그곳에 도착하지 못했다. 이 배들은 항로를 이탈하여 콜라 반도 북쪽 해안에서 겨울을 보냈는데, 선원들이 모두 죽었던 것이다. 선원들의 사인은 난방기구에서 방출된 일산화탄소 중독이었을 것이라고 추측된다.

세번째 배인 에드워드 보나벤처는 합류지점에서 오랫동안 기다린 후 우여곡절 끝에 콜마그로(지금의 아르항겔스크)에 도착했다. 선장 챈슬러는 그곳에서 남쪽으로 900km 떨어진 모스크바로 여행을 시도해 러시아 황제 폭군 이반을 만났다. 챈슬러와 황제는 영국 선박의 자유무역과 러시아 상사 창설을 약속하는 상무조약을 체결했다. 이 조약은 양국간의 교역확대에 유리하게 작용했으나, 북동항로 개척에는 아무 도움이 되지 않았다.

북동항로 어귀에서 유럽인은 최초로 사모예드족을 만났다. 이 유목부족은 활과 화살로 순록을 사냥한다. 오늘날 이 부족은 아직도 2만 5,000명이 남아 있는 것으로 추산되며, 노바야젬랴와 오브강 서쪽에 살고 있다.

네덜란드 탐험가 빌렘 바렌츠, 노바야젬랴 동쪽을 항해한 최초의 유럽인

미델부르크, 엔큐이젠, 암스테르담 같은 도시들에게 지원을 받은 바렌츠는, 1594년 6월 몇 척의 배를 이끌고 첫번째 탐험을 떠났다. 메신저호에 탄 바렌츠가 노바야젬랴 북쪽으로 방향을 잡는 동안 스완호와 머큐리호는 남쪽의 바이가쉬섬 부근으로 나아갔고, 카라해를 지나 오브강 하구까지 진출했다. 바렌츠는 노바야젬랴 북동쪽 끝에 도착한 다음 타빈곶(첼류스킨곶)으로 접근했다. 양쪽 선단은 바이가쉬에서 다시 만나 항로를 찾았다고 확신하면서 네덜란드로 돌아왔다.

이듬해 바렌츠는 과감하게 재출항했다. 하지만 중국과 교역할 상품을 실은 일곱 척의 배는 카라해 어귀(노바야젬랴의 동쪽)에서 빙해에 막히고 말았다 — 부빙의 상태가 해마다 어떻게 전개될지 파악하는 것은 지금도 불가능하다.

1596년 5월, 지난번보다 더 북쪽에 있는 항로를 발견하려고 시도한 3차 탐험에서 바렌츠는 스피츠베르겐(노르웨이)을 발견하고 네덜란드 영토임을 선언했다.

7월 말 그는 다시 노바야젬랴 북쪽 해안을 따라 항해했다. 이때 동쪽 바다가 얼지 않았음을 발견했지만, 목적지에 도달하기도 전에 빙해에 갇혀 버렸다. 키가 부러져 나가고 얼음의 압력으로 선체가 터져 버릴 것 같았다. 그는 선원들이 지은 오두막에서 겨울을 지낼 수밖에 없었다.

이듬해 6월, 일행은 배와 피난처를 버리고 급히 마련한 보트 두 척을 이용해 러시아 해안으로 탈출할 것을 시도했다. 탈진해서인지 괴혈병 때문인지 바렌츠는 6월 20일 죽음을 맞았다. 생존자들은 계속해서 남쪽으로 항해하던 중 러시아 선박을 만나 구조되었다. 이것이 유럽인이 북위 76도에서 겨울을 보낸 최초의 사건이었다.

300년 후 노르웨이인 카를센이 바렌츠가 겨울을 보냈던 노바야젬랴 북동 해안의 어느 항구에 정박했다. 카를센은 폐허가 된 오두막에서 바렌츠의 유물 몇 점이 얼음 속에 보존되어 있는 것을 발견했다.

새로운 해상로 — 북동항로나 북서항로 — 발견에 대한 관심은 스페인과 포르투갈의 세력이 약해지면서 점차 감퇴되기 시작했다. 그후 희망봉을 거치면서

3차에 걸친 바렌츠의 여행담은 3개 국어로 번역되어 출간될 만큼 인기 있었다. 아래 사진은 1609년에 인쇄된 영어판 속표지인데 글자의 배열이 범선의 형태를 연상케 해준다. 영어판 제목은 《극지로 떠난 빌렘 바렌츠의 세 차례 여행》이고, 다소 긴 불어판 제목은 다음과 같다. 《매우 놀랄 만한 세 차례 바다여행의 사실적 묘사……, 잔인하지만 매력적인 곰과 다른 바다괴물, 또한 견딜 수 없는 추위, 많은 위험과 엄청난 고난, 그리고 믿기지 않는 난관》

THE
True and perfect De-
scription of three Voy-
ages, so strange and woonderfull,
that the like hath neuer been
heard of before:

Done and performed three yeares, one after the other, by the Ships of *Holland* and *Zeland*, on the North sides of *Norway*, *Muscouia*, and *Tartaria*, towards the Kingdomes of *Cathaia* & *China*; shewing the discouerie of the Straights of *Weigates*, *Noua Zembla*, and the Countrie lying vnder 80. degrees; which is thought to be *Greenland*: where neuer any man had bin before: with the cruell Beares, and other Monsters of the Sea, and the vnsupportable and extreame cold that is found to be in those places.

And how that in the last Voyage, the Shippe was so inclosed by the Ice, that it was left there, whereby the men were forced to build a house in the cold and desart Countrie of *Noua Zembla*, wherin they continued 10. monthes togeather, and neuer saw nor heard of any man, in most great cold and extreame miserie; and how after that, to saue their liues, they were constrained to sayle aboue 350. Duch miles, which is aboue 1000. miles English, in litle open Boates, along and ouer the maine Seas, in most great daunger, and with extreame labour, vnspeakable troubles, and great hunger.

Imprinted at London for *T. Pauier*.
1609.

FRETUM DAVIS
ESTOTILAND
GROCLAND
GROENLAND
ISLAND
POLUS
Het nieuwe land
Circulus Arcticus
Fero Ins.
FINMARCHIA
NORVEGIA
SWEDIA.
LAPPIA
Oost Finland.
Bodicus Sinus
Fretum Davis
Wilhelmo Barnardo

이것은 1598년에 만들어진 바렌츠의 북극 지도이다. 바렌츠의 항해와 그에 따른 지도제작은 예기치 않은 결과를 가져왔다. 바렌츠가 수천 마리 고래를 보았다는 스피츠베르겐에서 포경업이 시작되었던 것이다. 150년 간 영국과 네덜란드는 이곳에서 짭짤한 이익을 챙겼다. 비스케만 수역에서 포경의 선구자 역할을 했던 바스크족 작살잡이들이 커다란 활약을 보이는 가운데 200여 척에 달하는 포경선이 조업을 벌이기도 했다. 고래야말로 북동항로의 개척자라는 매우 흥미로운 사실이 밝혀졌다. 캄차카 반도(북동 러시아)와 일본의 포경꾼들이 스피츠베르겐 포경꾼들의 이니셜이 새겨진 작살을 몸에 달고 있는 고래를 발견하곤 했던 것이다.

시도된 인도, 동인도, 중국과의 교역에서 공공연한 경쟁이 시작되었다.

17세기, 유럽 제국은 북동항로 개척이라는 야심 찬 계획을 포기했다. 이때 러시아인이 시베리아의 북극권으로 진출한다

16세기 초부터 러시아 항해가들은 해마다 카라해를 지나 오브강과 예니세이강 어귀로 항해하곤 했다. 최근 이루어진 발굴작업을 통해 16세기에 건설된 시베리아 항구, 망가제야가 발견되었다. 러시아인은 중국 항로의 개척보다 시베리아와의 교역에 더 많은 관심을 가지고 있었다. 기록들은 빙해가 가져올 수 있는 위험에도 시베리아와 백해 사이에 수천 톤에 달하는 해상무역이 성행했음을 입증해 준다.

러시아가 북쪽의 해상항로를 활발하게 이용하던 이 시기, 영국인과 네덜란드인이 북동항로 개척에 실패한 이유를 어떻게 설명해야 하는가? 구소련의 북극지방 전문 역사학자인 미하일 I. 벨로프는 이런 사실을 지적해 준다. 바렌츠와 챈슬러가 사용했던 선박은 너무 크고 무거워 조종하기가 어려웠던 반면, 러시아인은 빙해에도 충분히 견뎌 낼 수 있도록 설계된 소형선박 '코치(kochi)'를 사용했다는 것이다.

길이가 30m인 코치는 흘수(吃水)가 2m이고 곡선형 이물이 있다. 바닥과 흘수선 높이까지의 측면을 두 겹의 널판지로 보강했다. 이러한 특징은 19세기 말 최초로 북동항로 개척에 성공할 선박이 어떤 모습을 갖추게 될 것인지 예견할 수 있게 해준다. 몇 백 톤을 싣는 유럽 선박 대신 40톤 정도를 운송하는 코치는 위에 있는 두 개의 판화에서 볼 수 있듯이 권양기를 이용해 얼음 위로 들어올릴 수 있었다. 그리고 100~120m²에 이르는 넓은 돛을 활용해 유럽 선박보다 훨씬 빨리 항해할 수 있었다.

18세기 중엽 400여 명의 러시아 수렵꾼이 콜리마강 연안에 거주하며 모피를 거래하고 있었다. 그들 중 일부는 데즈네프가 지휘하는 여섯 척의 코치를 타고, 부를 얻기 위해 극동지역을 항해했다. 그러나 그들의 여행담은 1세기가 지난 다음인 베링의 시대까지 야쿠츠크 문서 보관소에서 썩고 있었다.

그들은 우리를 환영해 주었다

이것은 1556년 북극해를 항해했던 영국인 항해가 스티븐 버로의 보고내용이다. 동시베리아의 야쿠츠카야에 정착한 러시아 수렵꾼과 코사크족은 17세기에 북극 연안을 따라 레나강 어귀에서 콜리마강과 인디기르카강 어귀까지 코치를 타고 다녔다.

1648년 코사크족 데즈네프는 코치에 사냥꾼 60명을 태우고 콜리마강 어귀부터 아나디르강에 이르는 2,000km의 대항해를 시도했다. 모피를 구하기 위해서였다. 여행중 그는 무심결에 아시아와 아메리카 대륙을 가르는 베링 해협을 지났다. 알래스카 건너편에 있는 데즈네프곶은 그의 이름을 딴 것이다.

북동항로 개척에 적극성을 보이는 러시아

라이프니츠의 사상과 파리 과학 아카데미의 영향을 받은 표트르 대제는 사망하기 몇 달 전인 1724년에 아메리카 대륙으로 가는 방법을 찾고자 캄차카에서 북쪽 바다로 탐험대를 보내기로 결정했다. 덴마크인 비투스 베링에게 임무가 맡겨졌다.

현지에서 건조된 배를 타고 캄차카를 떠난 베링은 1728년

9월 말 데즈네프곶에 도착했다. 현지 부족 추크치족의 잔인함에 놀란 베링은, 아메리카 대륙 쪽 해안은 구경도 못했지만, 해협이 존재함을 확신하며 서둘러 귀항했다.

아시아와 아메리카 대륙 사이에 해협이 있다는 소식이 전해지자 캐터린 1세는 시베리아 해안을 따라가는 해상로를 찾으라고 명령했다. 안나 여제는 대북방탐험대를 조직하고 베링에게 지휘를 맡겼다. 5,000km에 달하는 해안을 다섯 개 구역으로 나누고, 총 1,000여 명에 달하는 인원을 다섯 팀으로 나누어 실시한 이번 탐험은 1733년부터 1742년까지 계속되었다. 코치가 사용되었지만 빙해를 건너는 데 문제가 없지는 않았다. 특히 시즌보다 너무 일찍 출발했을 경우에는 더욱 어려웠다. 1741년 베링은 알래스카 연안을 확인했고, 4일 동안 연안을 따라 항해했다.

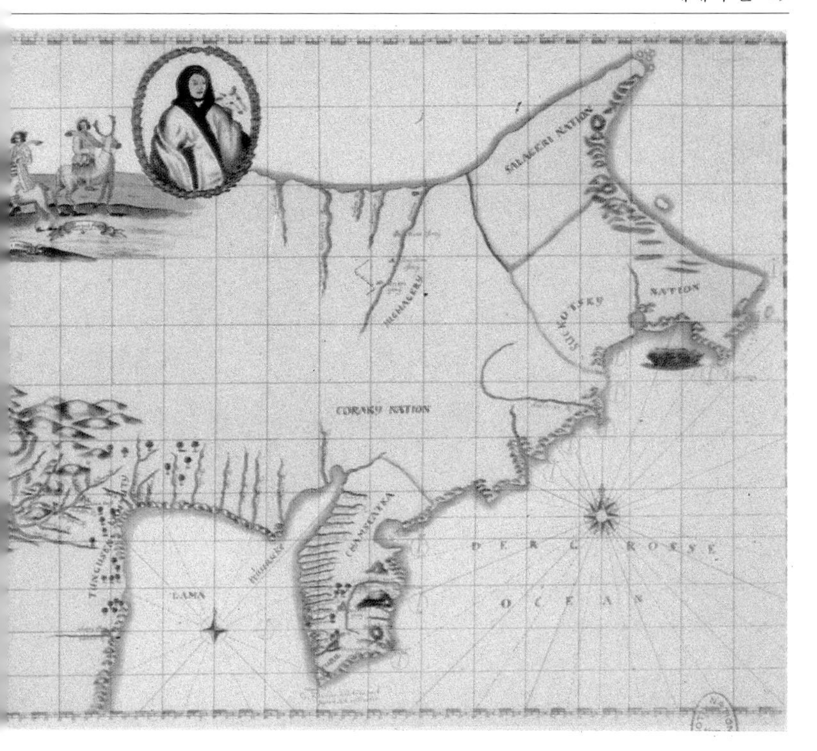

표트르 대제(왼쪽)의 해군에서 활약한 덴마크인 베링은 두 차례의 탐험을 시도하는데, 알류샨 열도의 몇몇 섬과 알래스카 남쪽 해안을 발견했다. 그는 1741년 2차 여행에서 귀환하던 도중 베링섬에서 죽음을 맞았다.

해군 장교 랍테프 형제의 활약도 주목할 만하다. 카리톤 랍테프는 1739년 레나강 어귀에서 서쪽으로 진출해 예니세이강 어귀까지 해안을 탐험했다. 타이미르 반도 북단에서 얼음에 갇혔을 때는 개썰매를 타고 주변을 조사하기도 했다. 한편, 카리톤의 부관 첼류스킨은 육로를 통해 오늘날 그의 이름으로 불리는 아시아 대륙 최북단 지점에 도달했다.

디미트리 랍테프는 레나강 어귀에서 베링 해협이 있는 동쪽으로 탐험을 떠났다. 얼음에 갇힌 그는 목적지에 도달하지 못한 채 1,300km에 이르는 해안을 탐사한 후 콜리마강에서 겨울을 보냈다.

이러한 발견에 고무된 러시아 상인들은 아메리카 - 러시아 상사를 창설해, 1867년 미국에 팔 때까지 알래스카를 경영했다.

어떤 항해가도 아직 확인하지 못했지만 모든 사람이 최초의 발견자가 되기를 원했던 '남쪽 대륙'. 18세기 사람들은 노동의 고통을 지지 않은 사람들이 사는 에덴 동산, 열대기후의 비옥한 땅이 그곳에 전개되어 있다고 생각했다. 철학자들은 이 미지의 대륙이 자신들의 이론에 마땅한 근거를 제공해 주리라고 믿으며, 이를 입증해 줄 고귀한 야만인을 만날 수 있기를 희망했다.

제2장

항해, 남쪽 끝으로

제임스 클라크 로스 경(오른쪽)과 쥘 뒤몽 뒤르빌 같은 탐험가들 덕분에 남극대륙의 신비가 차츰 벗겨졌다. 뒤르빌의 배는 아델리 랜드로 항해하는 도중 빙해에 갇히고 말았다(왼쪽).

"유럽 최고 지식인과 대화하기보다는 '미지의 남쪽 대륙(terra australis incognita)'에 사는 원주민과 한 시간만이라도 이야기할 수 있기를 바란다." 이것은 프랑스의 수학자이자 프러시아 황제 프리드리히 2세의 친구인 피에르 루이 모로 드 모페르튀스의 생각이다.

제임스 쿡의 항해, 유토피아를 찾아 남쪽으로

천문학자인 알렉산더 달림플의 권유를 받은 제임스 쿡은 1768년 출발했다. 항해는 1771년까지 계속되었다. 85명의 선원이 승선한 엔데버호는 혼곶, 타히티, 뉴질랜드를 거쳐서 항해했다. 쿡의 비밀임무는 타히티 너머에 있을지 모르는 남쪽 대륙을 찾아내는 일이었다. 귀환하여 쿡은 이렇게 확언했다. "이번 탐험으로 남위 40도 북쪽에 남쪽 대륙이 존재할 것이라는 여러 학자들의 주장을 일축할 수 있었다."

탐험의 결과에도 달림플이 고집을 굽히지 않자 해군본부는 2차 탐험을 명령했다. 레졸루션호와 어드벤처호가 떠나기로 했다. 남쪽 대륙의 존재에 대한 모든 의문을 종결시키려는 목적을 지닌 이번 탐험은 1772년에 시작되어 1775년에 끝났다. 1773년 1월 17일, 쿡은 최초로 극권(極圈)을 통과하는 데 성공했다. 영국으로 돌아온 쿡은 다음과 같은 의견을 내놓았다. "나는 남반구를 일주했으며 그 바다에는 더 이상 어떠한 대륙도 존재하지 않는다는 사실을 확인했다. 그러나 얼음 때문에 접근할 수 없는 더 남쪽에는 또 다른 대륙이 있을지도 모른다."

사람들의 생각이 변화해야 할 순간이었다. 광대한 남쪽 대륙과 교역을 벌여 돈벌이를 하겠다거나, 철학자들처럼 이상적인 새로운 인간사회를 발견하겠다거나 하는 몽상가는 더 이상 나오지 않았다. 대신 남극해의 풍요로움에 관한 쿡의 보고서에 자극을 받은 영국과 미국의 많은 포경선들이 혼곶 남쪽으로 모여들었다. 사우스조지아섬(포클랜드 제도 동쪽 1,300km)에 기지를 둔 포경선들은 수년에 걸쳐 바다표범과 펭귄을 마구잡이로 잡아들였다. 그들은 사냥터를 비밀로 간직하려 했고, 더욱이

쿡이 지휘한 레졸루션호와 어드벤처호는 남태평양을 탐험하다가 1773년에 남위 67도에 도달했다. 그림은 카누를 타고 바다코끼리를 사냥하는 선원들의 모습을 보여 준다.

정확한 지도를 제작할 수 있는 전문지식이 부족했기 때문에, 지리학적 지식 발전에는 아무런 기여도 하지 못했다.

1819년, 러시아의 알렉산드르 1세는 벨링스하우젠이 지휘하는 남극탐험대를 파견했다

벨링스하우젠은 2차 남극 일주 여행에서 남위 69도 25분 해안 48km 내로 접근할 수 있었다. 1820년 2월 초, 그는 남극대륙을 직접 눈으로 확인한 최초의 사람이 되었다. 그는 쿡이 발견하지 못한 지역을 지나 극권 동쪽과 남쪽으로 항해를 계속하여 4월에 시드니에 도착한 후 11월에 다시 출발했다. 그는 두 곳의 새로운 땅을 발견했는데, 표트르 대제와 알렉산드르 1세를 기념하여 그곳을 표트르 대제 섬과 알렉산드르 1세 섬이라 이름지었다. 1821년 8월, 그는 2년 간의 항해 뒤에 크론슈타트(러시아)로 돌아왔다.

벨링스하우젠(왼쪽)은 쿡을 숭배했고 쿡의 탐험을 완성하기 위해 더 남쪽으로 진출했다.

포경회사의 위대한 발견

포경업에 종사하던 엔더비 형제는 경쟁자들과 달리 지리학적 발견에도 많은 노력을 기울였다. 그리하여 존 비스코와 존 발레니 선장의 활동에 힘입어 명성을 획득할 수 있었다. 엔더비 가문에 대한 이야기는 허먼 멜빌의 소설 《모비 딕》에도 등장한다.

존 비스코는 1830년 남쪽으로 출항하여 1831년 1월 아프리카 남단에서 그가 엔더비 랜드라 부를 새로운 땅을 발견했다. 호바트항에 정박한 뒤, 태평양을 가로지른 비스코는 혼곶 남쪽에서 애들레이드섬과 그레이엄 랜드를 발견했다.

한편, 엘리자 스콧호와 사브리나호를 지휘하던 존 발레니는, 1839년 2월 9일, 아델리 랜드 동쪽 880km에 위치한 군도를 찾아 자신의 이름을 붙였다. 3월에는 서쪽의 사브리나 해안도 발견되었다.

1838년부터 1843년까지 프랑스 · 미국 · 영국의 탐험대는 자남극점(磁南極點)을 향한 탐험을 시작했다. 이때 각 탐험대는 남극대륙의 해안선에 도달할 수 있었다

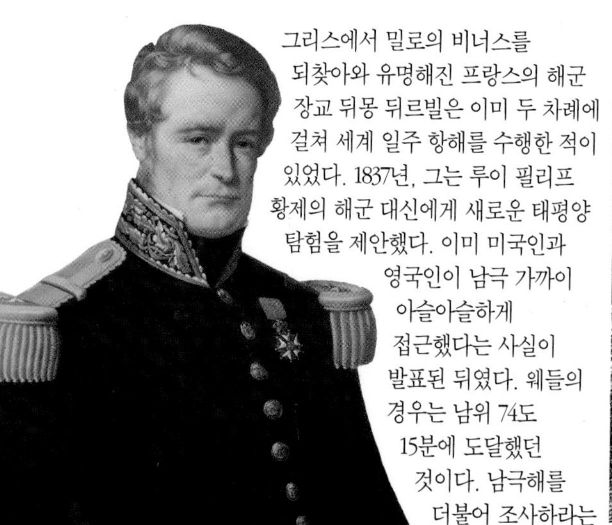

그리스에서 밀로의 비너스를 되찾아와 유명해진 프랑스의 해군 장교 뒤몽 뒤르빌은 이미 두 차례에 걸쳐 세계 일주 항해를 수행한 적이 있었다. 1837년, 그는 루이 필리프 황제의 해군 대신에게 새로운 태평양 탐험을 제안했다. 이미 미국인과 영국인이 남극 가까이 아슬아슬하게 접근했다는 사실이 발표된 뒤였다. 웨들의 경우는 남위 74도 15분에 도달했던 것이다. 남극해를 더불어 조사하라는

남태평양에서 그들은 계속되는 폭풍에 시달렸다. 1838년 1월 27일, 뒤르빌의 아스트로라브호와 젤레호가 풍랑과 용감히 맞서 싸우고 있다.

"오후가 되자 바람은 더욱 강해져서 갑작스럽게 돌풍으로 변했다. 풍랑이 심해지고 안개가 짙은 탓에 육지에 근접해 있었음에도 육지를 알아볼 수 없었다."
〈뒤몽 뒤르빌의 일기〉

프랑스 왕의 조건이 따랐고, 뒤르빌은 탐험 허가를 받아 낼 수 있었다. 남위 75도 지점에 도달할 경우 100프랑, 1도씩 더 나아갈 때마다 20프랑의 보너스가 추가로 지급될 것이라는 약속도 얻어냈다.

아스트로라브호와 젤레호는 웨들의 항로를 따라갔지만 남위 63도 23분에서 멈추어야 했다. 그동안 뒤르빌은 몇 개의 섬들과 남극반도상의 그레이엄 랜드 북쪽 해안을 지도에 그려 넣을 수 있었다. 1839년 12월 두 척의 선박은 호바트항(오스트레일리아 태즈메이니아)에 정박했다. "당초 호바트항을 지나는 자오선을 따라 남쪽으로 진출하려는 나의 계획은 선배들의 성과를 명예롭게 보완한다는 목표를 지니고 있었지만, 이 시도는 사실상 나의 의무가 되었다. 현재 시드니에 있는 미국 탐험대와 이곳에 곧 도착할 제임스 로스의 탐험대도 같은 목표를 가지고 있다!" 1840년 1월 19일, 뒤르빌은 남극대륙의 해안선을 목격할 수 있었다. 그는 자신의 아내 아델의 이름을 따서 새로 발견한 지역을 아델리 랜드라 이름붙였다. 이틀 후 장교 몇 명이 작은 섬에 상륙했다. 아스트로라브호와 젤레호는 부빙군을 정찰하며 서쪽으로 항진을 계속했다. 1월 29일, 그들은 함대를 재빠르게

"우리 앞을 가로막고 있는 거대한 바윗덩어리를 보고서 아무도 더 이상 앞으로 나아갈 수 있으리라 생각하지 않았다. 나는 모여든 장교들에게 앞으로 이 지역을 아델리 랜드라 부르겠다고 통보했다."

프랑스 국기가 아델리 랜드에 게양되는 동안(위), 장교들은 그들의 배가 자남극점에 최초로 접근했다는 사실을 증명하기 위해서 측량을 실시했다.

따라붙는 배를 한 척 발견했다. 그 배는 미국인 찰스 윌크스가 지휘하는 탐험대에 소속된 소형 범선 포퍼스호였다. 뒤르빌은 범선을 맞이하려고 돛을 올렸지만, 포퍼스호를 지휘하던 젊은 중위는 이를 도망가려는 것으로 잘못 받아들였다. 그것은 오해였다. 모욕받았다고 생각한 양쪽 지휘관들은 발끈하여 각자 다른 길로 떠났다.

윌크스의 배 빈센호의 선원들이 정박한 곳은 내륙이 아니라 빙산 위였다. 물을 보충하는 동안, 선원들이 미끄럼을 타며 즐기고 있다.

윌크스 탐험대는 미국 포경산업과 관련된 상업적 목적도 수행하고 있었다

1836년 워싱턴, 의회와 해군 당국은 남극 탐험에 원칙적으로 반대의사를 표명했다. 그러나 대통령 존 퀸시 애덤스와 당시 매우 강한 영향력을 행사하던 포경회사들의 압력에 의회는 물러설 수밖에 없었다. 마침내 의회는 남극 탐험을 승인하고 말았다.

1838년 8월, 장교 82명, 민간인 과학자 9명, 승무원 342명으로 구성된 여섯 척의 함대가 해군 대위 찰스 윌크스의 지휘하에 출항했다.

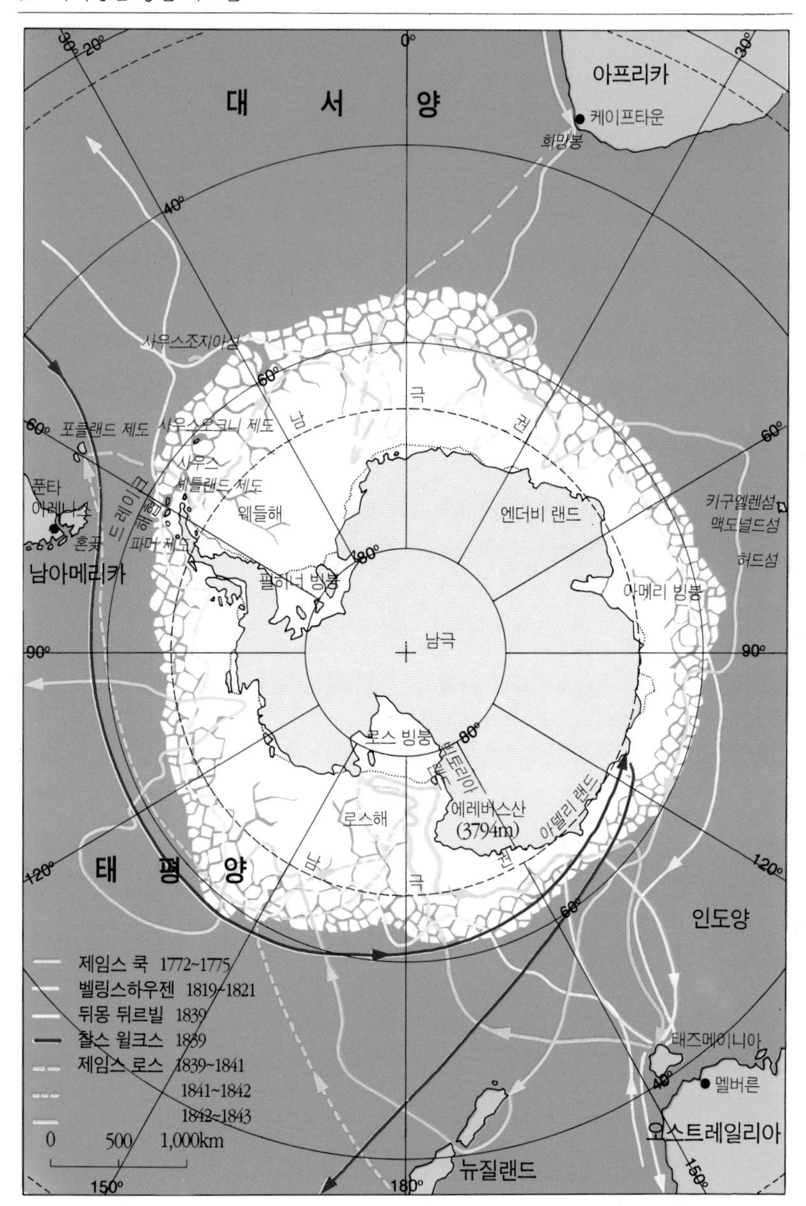

대서양
아프리카
케이프타운
희망봉
사우스조지아섬
포클랜드 제도
사우스오크니 제도
사우스 셰틀랜드 제도
푼타 아레나스
혼곶
드레이크 해협
파머 제도
남아메리카
웨들해
필히너 빙붕
남극권
엔더비 랜드
키구엘렌섬
맥도널드섬
허드섬
아메리 빙붕
남극
로스 빙붕
빅토리아 랜드
에레버스산 (3794m)
아델리 랜드
로스해
태평양
인도양
태즈메이니아
멜버른
오스트레일리아
뉴질랜드
제임스 쿡 1772~1775
벨링스하우젠 1819~1821
뒤몽 뒤르빌 1839
찰스 윌크스 1839
제임스 로스 1839~1841
1841~1842
1842~1843
0 500 1,000km

그레이엄 랜드 부근으로의 최초의 탐험은 실패로 끝났다. 탐험 수행 능력을 갖추지 못한 두 척의 배는 본국으로 송환되었고, 나머지 배들은 태평양을 횡단하여 시드니에 정박했다. 1839년 12월 26일, 윌크스는 뒤르빌보다 5일 먼저 남극해로 출발했다. 그러나 뒤르빌이 아델리 랜드를 발견한 1840년 1월 19일, 윌크스는 그곳에서 890km 동쪽 지점에 있었다. 윌크스는 아델리 랜드 서쪽으로 항해를 계속했고, 12일 동안 그때까지 전혀 알려지지 않은 해안선을 따라 탐사작업을 수행했다.

60명의 선원을 저버리고 미국으로 돌아온 윌크스(위). 장교들이 그를 군사재판에 회부했지만, 그는 결국 석방되었다. 몇 년이 지난 뒤, 윌크스 탐험의 중요성과 그의 용기가 재평가되기 시작했다.

제임스 클라크 로스 경의 탐험은 19세기의 남극 탐험사에서 가장 눈부신 업적으로 손꼽힌다

로스 탐험대의 본래 목적은 지구자장을 연구하려는 것이었다. 당시 독일의 물리학자이자 천문학자 카를 프리드리히 가우스가 지구 전지역의 자장을 계산하는 공식을 발표했고, 독일의 지리학자 알렉산더 폰 훔볼트는 이 사실을 실험해 보자고 제의했다.

탐험대 대장 로스는 이미 자북극점의 위치를 밝혀 낸 적이 있었다. 그의 재량에 맡겨져 있는 두 척의 배 에레버스호와 테러호는 세 개의 돛을 갖추었으며 빙하를 뚫고 항해할 수 있도록 견고하게 강화되었다. 탐험대에 소속된 유일한 민간인 조지프 후커는 남극대륙에 분포하는 지의류(地衣類)를 연구하려는 임무를 지닌 21세 젊은 자연과학자였다.

1840년, 남반구에서 가을을 맞은 로스 탐험대는 호바트항에 정박해 있었다. 로스는 현지 총독이자 위대한 북극 탐험가인 존 프랭클린에게 아델리 랜드 발견에 얽힌 여러 가지 정보와 찰스 윌크스의 항로에 대해 자세한 설명을 들을 수 있었다. 이러한 정보에 영향을 받아 그는 다음과 같은 결정을 내릴 수 있었다. "나는 그들이 발견한 지역을 피해 탐험을 수행하겠노라고 마음먹었다. 그래서 동경 170도 선을 택해 남쪽으로 항해하여 가능하면 자남극점에 도달한다는 계획을 수립했다." 이 계획에 따라 로스는 19세기 탐험사상 가장 괄목할 만한 발견을 이루었다.

1840년 11월, 로스는 에레버스호와 테러호를 이끌고 호바트를 떠났다. 1월 초, 나흘 동안 부빙군과 악전고투한 로스 일행은 얼어붙지 않은 바다에 도달했고, 남위 71도 부근에서 아데어곶을 발견했다. 탐험대는 빅토리아 랜드의 거대한 산맥을 따라 남쪽으로 계속 전진하여 남위 74도 15분이라는 웨들의 기록을 깨뜨렸다. 흥분한 승무원들은 남위 80도에서 두 척의 배가 만날 수 있을 거라며 내기를 걸었다. 하지만 1월 말 남위 77도 10분, 맥머도만(로스가 이름붙임)에서 더 이상 전진할 수 없었다. 맥머도만은 높이 3,785m인 에레버스 화산의 기슭에 있다.

맥머도만(오늘날 미국 남극기지 중 중추기지)을 떠나올 때 에레버스호와 테러호는 800km에 걸쳐 펼쳐진 50m 높이의 거대한 빙벽을 발견했다. 귀환길에 로스는 겨울을 이곳에서 보낼 계획을 검토해 보았지만, 안전한 장소를 찾을 수가 없었다. 1841년 4월 6일, 에레버스호와 테러호는 호바트항으로 출발했다. 이번 탐험의 성공에 고무된 로스 탐험대는 다음 원정을 준비했다.

다음 탐험의 목적지는 로스 빙붕이라 부르는 거대한 빙벽이었다. 3년 간의 식량을 포함해 준비를 단단히 갖추었지만, 기상조건이 전년보다 좋지 않았다. 탐험대는 로스 빙붕에 도착하지 못하고 기수를 돌려 포클랜드로 향했다. 겨울이 왔던 것이다.

로스는 웨들의 항로를 따라 3차 탐험에 나섰지만, 1843년 3월 초 71도 30분에서 멈춰서야 했다. 금방이라도 겨울이 닥칠 듯했다. 에레버스호와 테러호는 4년 동안의 탐험을 끝마치고 1843년 9월 영국으로 돌아왔다.

제임스 클라크 로스 탐험대가 테러호에 식수를 공급하고 있는 장면을 그린 수채화.

"제임스 클라크 로스와 그의 장교들이 수행해야 할 가장 중요한 임무, 무엇보다 고귀한 임무는 과학적 연구의 수행이다. 그것은 지자기에 관한 연구이다."
왕립 지리학회의 지시사항은 이와 같았다.

나폴레옹 전쟁(1803~1815) 직후 대영제국 해군은 대부분의 병력을 잃었다. 14만의 병력이 고작 1만 9,000명 수준으로 줄었다. 대영제국 해군의 영광을 되살리기 위해서는 새로운 과업이 필요한 시점이었다. 존 배로가 지휘하던 영국 해군본부는 극지방 탐험을 더욱 적극적으로 수행할 것을 결정했다.

제3장

북극에서의 경쟁

가장 위대한 북극 탐험가 프리초프 난센(왼쪽)은 극지방 연구를 가속화시킨 장본인이었다. 실종된 남편(존 프랭클린 경)을 찾기 위해 제인 프랭클린(오른쪽)은 네 차례나 탐험대를 조직했다. 이로써 그녀는 북극에 대한 지리학적 지식을 증진하는 데 기여했다.

1817년, 포경선 선장 윌리엄 스코스비에게 북극해에서는 빙산에 따른 고통이 덜 하다는 이야기를 들은 배로는 2회에 걸쳐 탐험대를 파견했다 — 오늘날에도 부빙군의 상황을 거의 예측할 수가 없는데 말이다. 한편, 의회는 북극권에서 서경 110도를 최초로 지나는 배에 상금 5,000파운드(선장 급여의 열 배 이상)를 주겠다고 제안했다. 1818년, 이사벨라호와 알렉산더호를 이끌고 존 로스가 북서항로를 발견하기 위해 떠났다. 이번 탐험은 실패했지만, 로스의 부관 에드워드 패리는 북서항로의 존재를 확신할 수 있었고, 귀환하자마자 패배를 인정하기 싫어하는 배로의 지지를 얻어냈다.

"1819년 9월 5일, 헤클라호 선원들을 집합시키고 정식으로 통보했다. '그대들의 노고가 성공으로 결실을 맺었으므로, 여왕 폐하의 명령에 따라 상금을 받을 수 있게 되었으며, 고기와 맥주를 더 지급하겠다.'"

에드워드 패리
〈항해일지〉

해양탐험뿐 아니라 육로탐험도 진행되었다

배로는 패리에게 헤클라호와 그리퍼호의 지휘권을 부여했다. 또한 배로는 트라팔가 해전에 참전했던 존 프랭클린에게

허드슨만에서부터 육로를 통해 해안을 답사하라는 임무를 맡겼다. 1819년 5월에 출발한 패리는 9월에 서경 110도 지역을 가로질러 멜빌섬에 도착했고, 이로써 5,000파운드의 상금을 획득할 수 있었다. 패리는 1,000km에 달하는 해안지대를 지도로 제작할 수 있을 만큼 풍부한 정보를 가지고 귀항했다.

1819년에서 1822년까지 프랭클린은 8,800km를 답파했는데, 그중에서 850km에 달하는 해안은 북극에 인접해 있다. 1825년, 그는 다시 출발하여 동쪽을 향해 서경 110도 지점을 통과했다. 패리와 프랭클린의 발견성과와 함께 허드슨 회사가 부시아 반도까지 실시한 조사결과를 바탕으로 예상 북서항로가 확정되었다.

북서항로를 최초로 발견하겠다고 마음먹은 프랭클린은 1845년 에레버스호와 테러호에 129명의 승무원을 태우고 항로 개척에 나섰다. 하지만 항해에서 살아 돌아온 사람은 한 사람도 없었다.

프랭클린 탐험대는, 1821년 7월 말, 코퍼마인강 어귀(캐나다 북서쪽)에 도착했고, 두 척의 카누를 타고 동쪽으로 계속 전진했다. 그는 일기에 패리를 위해 그곳에 묻어 놓았던 편지에 대한 이야기를 적어 놓았다. "8월 26일, 후드스강(코퍼마인강)어귀에 깃발을 달아 푯말을 세워 두었다. 푯말 아래에 로스에게 도움이 될 만한 정보를 적은 편지를 묻었다."

존 프랭클린
《여행기》

1847년, 대대적인 구조작업이 시작되었다. 10년 동안 40척의 배가 에레버스호와 테러호의 자취를 찾아다녔다

해군본부는 프랭클린 탐험대의 소식을 전해 주는 사람에게 2만 파운드의 상금을 주겠다고 약속했다. 1850년 1월, 로버트 매클러가 지휘하는 인베스티게이터호가 프랭클린 탐험대와 북서항로를 찾아내기 위해 출항했다. 하지만 3년 내내 배는 빙하에 갇혀 있었고 1853년에야 간신히 영국으로 돌아왔다.

모든 사람들이 수색을 포기하려 했지만, 제인 프랭클린만은 남편을 찾으려는 노력을 그만둘 수 없었다. 그녀는 끈질긴 설득으로 영국 해군본부와 미대통령, 러시아 황제의 지원을 약속받았다.

계속되는 수색 속에 몇 년이 지났지만 배의 흔적은 발견되지 않았다. 아직 수색의 손길이 미치지 않은 곳은 랭카스터 해협과 그 남쪽 아메리카 대륙 사이 수역이었다. 1854년, 아직 탐험하지 않은 지역인 그레이트피시강 어귀(캐나다 북서부의 노스웨스트주)에서 백인의 시체를 보았다는 에스키모의 증언으로 탐험이 재개되었다.

제인은 영국 전역에 호소하며 기부금을 모아 폭스호를 출항시켰다. 길이 30m의 증기 요트 폭스호는 세 차례나 극지방 탐험에 참가했던 베테랑 매클린톡 선장이 지휘했다. 1859년 봄, 마침내 매클린톡은 킹윌리엄섬에 세워진 돌무덤(cairn)에서 프랭클린 탐험대 대원들의 기록이 담긴 양철통을 발견했다. 장교들이 쓴 이 기록은 1845년에서 1848년까지의 에레버스호와 테러호의 항적(航跡)과 선원들이 죽음을 맞이했을 때의 상황을 자세히 들려주었다. 존 프랭클린 경은 1847년 6월 11일 죽었고, 배들은 1848년 4월 22일 버려졌으며, 생존자 105명은 남쪽의 그레이트피시강 어귀로 걸어갔던 것이다. 그들의 유골은 뒤에 발견되었지만 두 배의 흔적은 어느 곳에서도 찾을 수가 없었다.

오늘날 런던 웨스트민스터 사원에 가면 북서항로를 찾던 도중 존 프랭클린과 함께 서거한 사람들에게 바치는 기념물을 볼 수 있다. 이것은 쓰라린 영광이었다. 그뒤 50년 동안 영국 정부와 일반여론은 그의 업적에 거의 관심을 기울여 주지 않았던 것이다.

프랭클린은 1819년 최초로 북극을 향해 출항했고, 그후 1845년 북서항로를 찾기 위해 북극 탐험을 다시 시도했다. 그는 1847년 61세의 나이로 세상을 떠났다.

10년 간의 수색 후에야 프랭클린의 죽음이 확인되었다. 매클린톡이 찾은 자료에 따르면, 웰링턴 수로를 따라간 프랭클린은 북서항로를 찾으려는 헛된 노력을 기울이면서 1845년부터 1846년에 걸쳐 비치섬에서 겨울을 보냈다. 1846년, 여름 에레버스호와 테러호는 남쪽으로 항진하다 킹윌리엄섬 북서쪽 19km 근방에서 빙하에 갇혔다. 18개월 동안 배를 지키던 승무원들은 마침내 배를 포기하고 도보로 전진했다. 그들은 결국 아무도 살아 남지 못했다. 19세기 후기에 그린 토머스 스미스의 〈목숨을 걸고 마지막 생명선을 만들다〉처럼 화가들은 이 비극을 극적으로 표현하곤 했다.

영국수로의 에디스톤 등대

프랭클린을 찾아서

1845년 이후 프랭클린에게서 소식이 끊어졌다. 에레버스호와 테러호에는 최소한 3년 동안 버틸 수 있는 식량이 실려 있었지만, 1847년이 되자 불안이 증폭되었다. 해군본부는 로스와 패리를 포함한 북극 탐험 전문가들에게 조언을 구한 뒤 프랭클린이 항해했음 직한 항로를 추적하고자 수색대를 세 팀 파견하기로 결정했다. 1848년의 첫 시도가 실패로 끝나자, 다시 수색대가 결성되었고, 이번에는 서쪽과 동쪽으로 동시에 출발했다.

폭풍 속의 어시스턴스호와 파이오니어호

1850년 봄, 호레이쇼 오스틴이 지휘하는 수색대가 편성되었다. 범선 레졸루트호와 어시스턴스호, 증기선 인트레피드호와 28세의 셔래드 오스본이 지휘하는 430톤급 파이오니어호로 구성된 선단이었다. 빙해에서 증기선이 이용된 것은 이번이 처음이었다.

오스틴 수색대의 임무는 웰링턴 해협과 멜빌섬 사이 수역을 탐사하는 것이었다. 민간인들도 수색선을 파견했는데, 1850년에는 12척의 배가 프랭클린을 찾기 위해 출항했다.

자정 때의 노르웨이곶

5월 3일, 오스틴 수색대는 영국을 떠났고 에디스톤 등대를 지나갔다. 폭풍과 빙벽과 빙산이 그들을 기다리고 있었다.

배로산에서의 어시스턴스호와 파이오니어호

그해 여름, 수색대는 프랭클린이 최초로 겨울을 보냈던 야영지를 비치섬에서 발견했다. 10월, 수색대는 존 로스가 지휘하는 프랭클린 부인호에서 그리 멀지 않은 지점, 배로 해협에서 빙해에 갇히고 말았다.

빙산에 포위되다

빅토리아항

겨울 동안 기온이 영하 51도까지 곤두박질치기도 했지만 오스본의 노력으로 승무원들의 생활은 원만하게 이루어졌다. 이글루와 숙소를 지었고, 곰사냥이 벌어졌으며, 어떤 승무원들은 얼음조각에 정신이 팔렸다.

배로 해협

겨울 아영지

장교들은 봄에 시작하기로 한 육상탐험에 앞서 썰매를 준비하여 면밀한 수색작업을 벌였다. 1851년 4월, 200명의 승무원이 두 팀으로 나뉘어 남쪽과 서쪽으로 출발해 총 1만 1,000km 이상 되는 해안과 인근의 섬을 조사했지만 프랭클린 탐험대의 흔적은 전혀 찾아볼 수 없었다. 8월이 되자 얼음이 녹았고, 오스틴 수색대는 실망을 안고 영국으로 돌아왔다. 그러나 수색은 여기서 그치지 않았다.

눈마을(Snow Village)

모피해안(Fury Beach)

이번에는 에드워드 벨처 경이 총지휘를 맡아 같은 함대가 재출항했다. 오스본도 파이오니어호의 함장으로 다시 참여했다. 수색대는 웰링턴 수로를 따라 노섬벌랜드 해협까지 거슬러 올라갔고 그곳에서 겨울을 보냈다. 1852년 4월 10일에서 7월 15일까지 오스본은 썰매를 이용하여 수색활동을 벌였다. 그후 수색대는 남쪽으로 항로를 잡았지만, 또다시 빙해에 갇혀 웰링턴 해협에서 1853년 겨울을 보내야 했다. 그해 겨울은 혹독했다. 게다가 독재적인 선장 벨처와 장교들 사이에서 자주 언쟁이 일어났다. 이듬해 봄, 벨처는 다른 배를 포기하고 어시스턴스호로 승선하라고 모든 승무원에게 명령했다. 2차 탐험의 성과는 1차 탐험의 성과보다 보잘것없었다.

야영지

빙교(Ice Bridge)

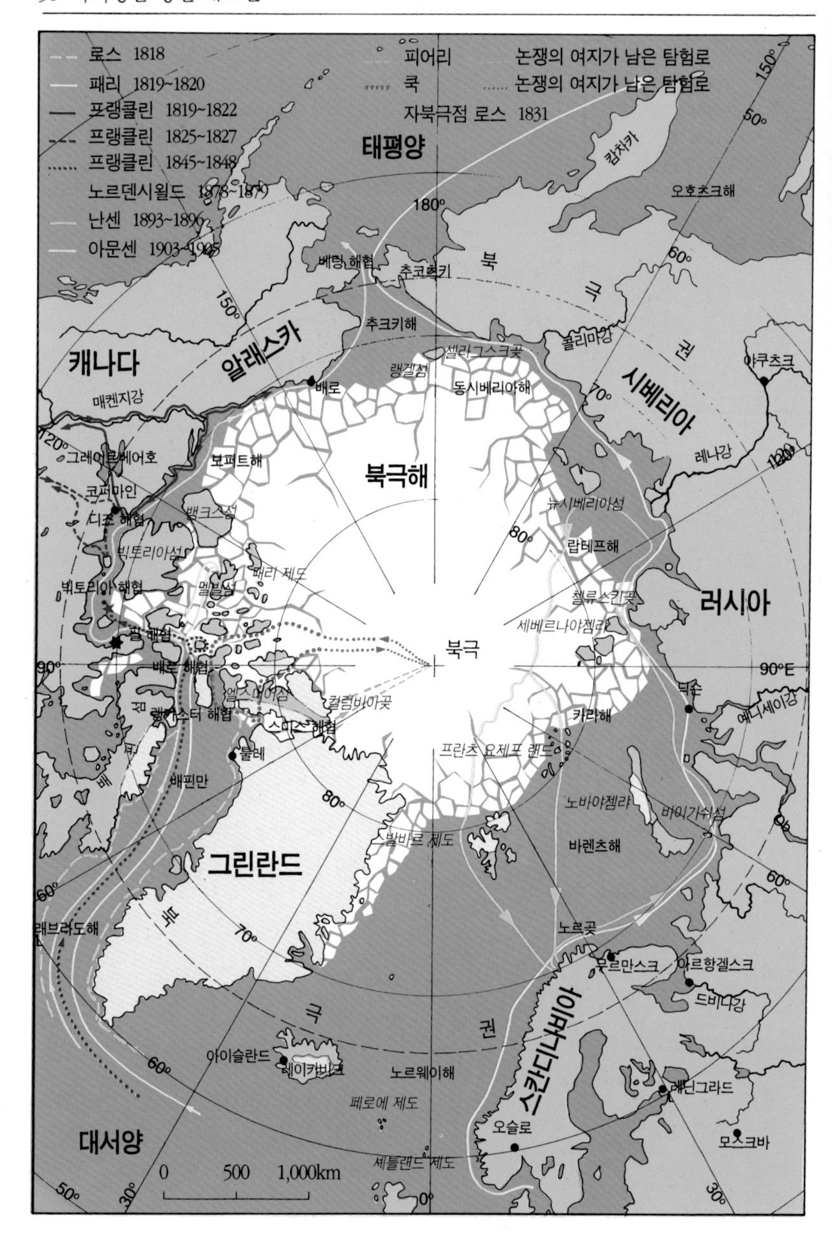

로스 1818
패리 1819~1820
프랭클린 1819~1822
프랭클린 1825~1827
프랭클린 1845~1848
노르덴시욀드 1878~1879
난센 1893~1896
아문센 1903~1905
피어리
쿡
논쟁의 여지가 남은 탐험로
논쟁의 여지가 남은 탐험로
자북극점 로스 1831
태평양
캄차카
오호츠크해
180°
베링 해협
추코츠키
북
극
권
추크치해
콜리마강
야쿠츠크
셀라그스크곶
랭겔섬
동시베리아해
시베리아
캐나다
알래스카
배로
매켄지강
레나강
그레이트베어호
보퍼트해
북극해
코퍼마인
디즈 해협
뱅크스섬
뉴시베리아섬
랍테프해
빅토리아섬
패리 제도
빅토리아 해협
멜빌섬
첼류스킨곶
러시아
세베르나야젬랴
필 해협
북극
배로 해협
90°
90°E
딕손
엘스미어섬
컬럼비아곶
예니세이강
랭커스터 해협
카라해
스미스 해협
툴레
프란츠 요제프 랜드
배핀만
노바야젬랴
바이가치섬
스발바르 제도
바렌츠해
그린란드
노르곶
래브라도해
무르만스크
아르항겔스크
드비나강
스칸디나비아
아이슬란드
레이캬비크
노르웨이해
레닌그라드
페로에 제도
오슬로
모스크바
대서양
0 500 1,000km
셰틀랜드 제도

1905년, 단독으로 탐험을 감행한 노르웨이인이 마침내 북서항로를 발견했다

낡은 어선 그조아호에 3년 간 먹을 식량을 가득 싣고 로알드 아문센이 비치섬에 도착했다. 아문센과 그의 동료 여섯 명은 킹윌리엄섬 남서쪽에 위치한 에스키모족의 거주지 근처에서 2년을 지냈다. 이 기간 동안 그는 자북극점의 위치를 결정할 수 있었고, 에스키모인의 생활풍습과 추위에서 살아 남을 수 있는 생존방법을 연구했다.

1905년 8월 13일 서쪽으로 항로를 잡은 그조아호는 그달 말에 샌프란시스코에서 온 미국 범선을 만날 수 있었다. 많은 희생이 따른 뒤 마침내 북서항로가 발견되었던 것이다. 하지만 북서항로는 별로 이용되지 않았다.

베가호는 스웨덴의 예테보리에서 일본 요코하마까지 항해하여 마침내 북동항로를 개척했다

1878년 7월 4일, 닐스 노르덴시욀드는 두 척의 배 베가호와

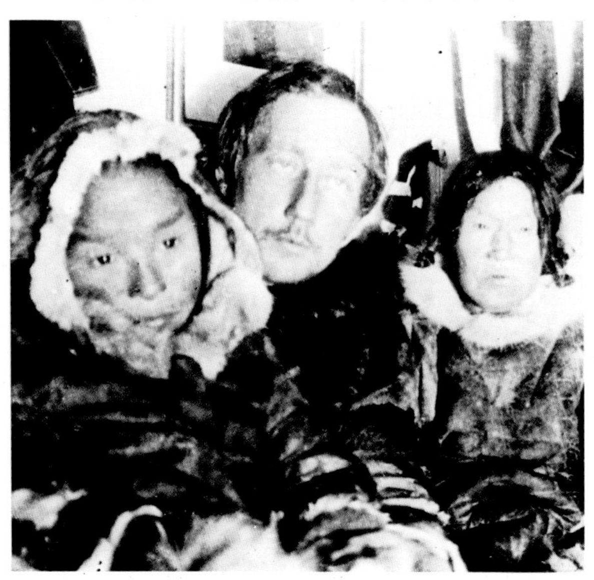

아문센은, 반세기 전 프랭클린 탐험대의 마지막 흔적이 발견되었던 킹윌리엄섬에서 1903년 겨울을 났다. 그조아호 근처에는 200여 명의 에스키모인이 살고 있었는데, 아문센은 칼과 바늘을 주고서 순록모피로 만든 옷과 교환했다. 아문센과 그의 동료들은 유럽의 가장 따뜻한 옷보다 순록모피옷이 더 따뜻하다는 사실을 알게 되었다. 순록모피옷을 입고 원주민과 포즈를 취한 아문센.

레나호를 이끌고 예테보리를 출항했다. 그는 그린란드와 스피츠베르겐, 그리고 카라해에서 탐험을 수행한 적이 있었고, 여행에서 무엇을 기대해야 할는지 잘 알고 있었다. 이번 탐험은 과학적이고 경제적인 목적을 한꺼번에 성취해야 할 것이다. 스웨덴 국왕과 두 명의 사업가, 즉 스웨덴인 오스카 딕슨, 러시아인 시비리아코프가 탐험을 지원해 주었으므로 노르덴시욀드는 더욱 든든했다. 8월 19일, 베가호와 레나호는 유럽인이 동방항해에서 세운 기록이었던 북위 77도 34분, 첼류스킨곶을 지날 수 있었다. 그들 앞에 펼쳐진 바다는 말할 수 없이 평온했고, 평탄한 육지는 지의류와 이끼가 끝간 데 없이 펼쳐져 있었다.

노르덴시욀드(58페이지). 베가호를 타고 스웨덴에서 요코하마까지 항해한 것은 그가 47세 되던 해였다. 길이 45m의 이 포경선은 참나무로 선체를 보강했고 60마력 증기기관을 탑재했다. 예비 키와 스크루도 갖추고 있었다.

레나강 어귀에 도착한 레나호는 강을 거슬러 1,500km 올라가서 야쿠츠크에 도착했다. 그동안 베가호는 부빙군을 뚫고 동쪽으로 계속 항진해서 9월 초에는 경도 180도에 위치한 셀라그스키곶에 도착했다.

그러나 바다가 얼어붙기 시작했다. 3해리 밖에 얼지 않은 바다가 있었고 하루만 항해하면 베링 해협에도 도달할 수 있었지만, 노르덴시욀드는 그곳에서 겨울을 보내기로 결정할 수밖에 없었다. 이곳에서 겨울을 넘겨야 한다는 것은 그곳 원주민인 추크치족과 물물교환이나 하면서 바람과 얼음에 에워싸여 9개월 동안을 꼼짝없이 견뎌야 한다는 사실을 의미한다.

겨울 저녁, 베가호 장교식당의 모습.

노르크비스트 대위는 긴 휴식기간을 이용하여 이 지역 토착언어를 정리한 사전과 문법책을 만들었고, 추크치족 추장에게 노르덴시욀드의 부인과 스웨덴 국왕에게 보내는 편지를 써 달라고 부탁하기도 했다. 추장이 쓴 편지는 다섯 달 만에 목적지에 도착했다.

이듬해 7월 18일, 얼음에서 풀려난 베가호는 다시 항해를

"자넷호는 얼음에 부딪혀 산산조각이 났고 1881년 6월 12일, 22개월 간의 표류 끝에 북위 77도 15분, 동경 155도 지점에서 침몰했다. …… 33명의 승무원은 세 척의 보트와 식량을 운반하여 북위 76도 38분, 동경 150도 30분에 있는 부빙군까지 이동했고, 7월 19일 베넷섬에 도착했다. 그곳에서 남쪽으로 방향을 잡았다. …… 9월 10일, 레나강 삼각주에서 북쪽으로 160km 떨어진 세메노프스키섬에 닿았다. 9월 12일, 보트를 타고 함께 그곳을 떠났지만 다음날 밤 불어닥친 태풍 때문에 뿔뿔이 흩어졌다."

드 롱

〈자넷의 항해〉

선장 드 롱의 사후에 발견된 그의 전갈은 자넷호의 운명을 잘 말해 준다. 나중에 세 척의 보트들은 각기 다른 운명을 겪었다. 11명이 탄 포경선은 해안에 거주하던 러시아 추방자들에게 구조되었고, 7명이 승선했던 두번째 보트는 실종되었으며, 드 롱이 지휘하던 세번째 보트의 승무원들은 굶주림과 피로에 지쳐 모두 죽고 말았다.

계속했고, 마침내 9월 2일 요코하마에 도착했다. 일본에서는 그들을 열렬히 환영했다. 노르덴시욀드는 일본 천황을 알현할 수 있었고, 천황에게서 북동항로 개척의 공적을 기리는 훈장을 수여받기도 했다. 아시아 대륙 남쪽을 경유하여 돌아오는 여행중에는 기착하는 항구마다 성대한 축하와 환영을 베풀었다. 그리고 파리에서는 프랑스 대통령과 빅토르 위고에게 접대를 받았다. 4월 24일, 베가호가 스톡홀름에 도착했을 때, 스웨덴 국왕은 이날을 국경일로 선포했다.

이 세상 끝에는 무엇이 있는가? 해양인가 대륙인가?

리빙스턴을 찾기 위해 스탠리를 파견하여 명성을 얻은《뉴욕 헤럴드》지의 소유주 제임스 고든 베넷은 독자의 흥미를 사로잡을 새로운 기삿거리를 찾고 있었다. 1879년, 북극의 신비를 파헤치겠다고 마음먹은 베넷은 소형 증기선 자넷호를 베링 해협 북쪽 빙해로 파견했다.

그러나 이 시도는 완전한 실패로 끝났다. 1881년 6월 자넷호는 북위 77도 15분에서 산산조각이 나고 말았다. 러시아 선박의 도움으로 단지 몇 명의 생존자만이 미국으로 돌아올 수 있었다. 3년이 지난 1884년 노르웨이의 청년 탐험가 프리초프 난센은 자넷호의 난파지점으로부터 2,900해리 떨어진 그린란드 남서 해안에서 에스키모들이 자넷호의 잔해를 발견했다는 소식을 들었다.

이것은 자넷호의 잔해가 빙하에 실려 하루에 2~3해리씩 북극해를 표류했음을 알려 준다. 이때 난센은 얼음의 압력에 견딜 수 있도록 고안된 배를 이용하여 자넷호의 잔해가 표류한 길을 따라 항해해 보면 어떨까 하는 의문을 가졌다. 잔해가 2,900해리나 떠밀려왔다는 사실은, 극지방에서는 얼음에 갇혀 있다고 해도 사실상 이동하고 있음을 증명하는 것이기 때문이다.

이제 그에게도 탐험을 실현할 시기가 다가왔다. 1890년 29세가 된 난센은 과학박사 학위를 취득했다. 방금 스키를

레나강 어귀에 도착한 드 롱은 구조를 요청하기 위해 목수 닌드만과 다른 승무원을 파견했다. 탈진상태가 될 때까지 도보로 전진했던 그들은 마침내 원주민을 만날 수 있었지만, 그들의 상황을 설명하고 구조를 요청하는 것은 불가능했다. 원주민과 미국 선원 사이에 의사소통을 도울 수 있는 언어가 없었기 때문이다. 드 롱과 다른 승무원의 시신이 몇 달 뒤 발견되었다.

이용하여 그린란드를 동서로 횡단하는 데 성공한 그는 힘든 극지방 탐험을 수행하기에 끄덕없을 최상의 신체조건을 갖추고 있었다. 그는 여러 학회에서 자신의 생각을 발표했다.

북극이 바다인가 아니면 육지인가 하는 그의 이론은 노르웨이나 스웨덴에서는 열광적으로, 영국에서는 담담하게, 그리고 미국에서는 극히 회의적으로 받아들여졌다. 다른 이들의 생각이 어떻든 난센은 모험을 감행하기로 결정했다. 그는 노르웨이 사람들이 마련해 준 2만 5,000파운드를 가지고 스코틀랜드 건축가인 콜린 아처와 함께 배를 설계, 건조하여 프람호라 이름붙였다. 프람호의 둥근 선체는 얼음의 압력이 가해지는 경우 선체가 위로 들려지도록 의도되었다.

난센(위)과 그의 배(오른쪽)는 많은 비판을 받았다. 나레스 제독은 둥근 선체가 얼음이 압력을 가해 올 경우 프람호를 얼음 위로 솟아오르게 할 것이라는 주장을 반박했다. 그는 배의 선체가 둥글면 얼음에 둘러싸일 때 얼음과 배가 한덩어리로 된다고 주장했다. 남극에 갔던 로스 탐험대의 최후 생존자인 조지프 후커는, 프람호는 흘수선 아래로 잠겨 있을 경우에만 얼음의 압력을 견딜 수 있을 것이라고 우려를 표명했다. 한편, 미국 장성 아돌퍼스 워싱턴 그릴리는 난센은 북극에 대한 경험이 전혀 없으므로 승무원을 죽음으로 이끌 것이라며 비난했다.

1893년 6월 24일, 프람호는 12명의 승무원과 30마리의 개를 태우고 베르겐항을 출항했다

난센은 시베리아 해안을 따라 북동항로를 항해했다. 그리고 계획대로 9월 말 러시아의 동쪽 북위 77도 14분 지점인 레나강 어귀 부빙군의 가장자리에 이르렀다. 9월 24일 난센의 일기에는 이렇게 적혀 있다. "아침 나절 짙은 안개가 사방을 덮고 있었다. 시간이 지나면서 안개가 걷혔고, 우리는 두꺼운 얼음에 둘러싸여 있음을 알 수 있었다. 이곳에서는 죽음의 냄새가 난다. 바닷물 속에 물개 한 마리, 그리고 졸고 있는 듯이 보이는 부빙 위의 곰 한 마리말고는 아무것도 없다."

선상에서 겨울을 보내기 위한 여러 가지 조처를 취했다. 키도 들어올려 특수한 기둥에 단단히 묶어 두었다. "오후가 되어 한가히 앉아 잡담을 나누고 있을 때, 귀청이 떨어질 것 같은 큰소리가 나더니 배 전체가 뒤흔들렸다. 우리가 경험한 최초의 얼음압력이었다. 모두들 갑판 위로 뛰어올라와 어떤 일이 벌어질지 주시했다. 프람호는 내가 기대했던 대로 완벽하게 반응했다."

그래도 처음 6주 동안은 마음을 놓을 수 없었다. 프람호는 12월까지 원래 목적지와 정반대인 남동쪽에서 표류했고, 표류방향이 반대로 바뀌었을 때는 두 달 전에 얼음에 묶여 있던 위치와 같은 위도로 돌아가고 있었다. 이제 북극 횡단을 시작해야 할 순간이었다.

난센이 프람호를 타고 탐험하기로 결정한 북극 유역은 3~4m 두께의 해빙으로 뒤덮인 수천 미터 깊이의 해양이다. 비록 물결의 높이가 다른 해양처럼 높지는 않지만 조수, 바람, 해류의 영향 때문에 얼음이 계속해서 이동하고 있다. 얼음의 이동은 난빙대(難氷帶, pressure ridge)와 빙구를 만들어 낸다. 얼음덩어리 또는 부빙이 맞부딪치면서 높이 4m에 달하는 얼음절벽을 형성하는 것이다. 부빙은 15m 이상 물 속에 잠겨 있다. 또한 그곳에서는 배의 위치를 파악하거나 통과한 거리가 얼마나 되는지 측정하기가 무척 어렵다.

이따금 곰이 출현하여 호기심을 돋우는 것말고는 단조롭기 그지없는 항해가 1년 간 계속되었다. 그동안 프람호는 560km를 항해하여 북극에 접근하고 있었지만, 표류하는 데로 내맡겨 놓았다가는 북위 85도를 넘어갈 수 있을 것 같지 않았다.

프람호로 북극점에 도달할 수 있을 것 같지 않았다. 그러나 난센은 포기하지 않았다

썰매 세 대, 카약 두 척, 27마리의 개를 이끌고 난센은 프레데릭 요한센과 함께 북극점을 향해 출발했다. 북극점 도달 후에는 그곳에서 1,852km 떨어진 프란츠 요제프 랜드로 향하겠다는 작전이었다. 북극의 봄이 4~5개월 지속될 것이라 예상했다.

난센과 요한센은 100일분의 식량을 준비했다. 북극의 냉엄한

"얼음은 사방에 끝없이 펼쳐져 있었다. 갈라지고 터지며 포효하고 울부짖었다. 사람들이 기절할 때 내는 소리 같았다."

새뮤얼 콜러리지
〈고대 선원의 노래〉

법칙에 따라 만약의 경우에는 개를 죽여 다른 개를 먹여야 할지도 몰랐다. 그들이 북극을 667km 남겨 놓고 출발한 것은 1895년 3월 14일이었다.

4월 8일, 북위 86도 3분, 난센은 3주 동안 200km밖에 전진하지 못했다. 빙구(氷丘)가 전진을 지연시켰던 것이다. 두 사람은 남남서 640km 지점에 있는 프란츠 요제프 랜드를 향해 방향을 돌려야 했다. 봄이 되자 곳곳에 얼음이 녹기 시작했고, 그때마다 카약에 개와 식량을 싣고 건너가야 했다.

7월 24일 수요일 난센은 다음과 같이 기록하고 있다. "마침내 기적이 일어났다. 육지, 육지가 보인다. 2년의 세월, 끝없는 백색 지평선 너머로 무엇인가 보인다." 육지는 프란츠 요제프 랜드의 북동쪽 끝이었다. 난센은 그곳에서 섬을 하나 발견하여 부인 이름을 따서 에바라 이름붙였다. 이때는 두 마리의 개만 살아 남았지만, 다행히 바다표범과 곰을 사냥할 수 있었다.

8월 7일, 빙붕(氷棚)과 최초로 발견된 섬 사이의 얼음이 녹았다. 그들은 두 척의 카약을 묶어서

난센과 요한센(아래)이 프란츠 요제프 랜드를 처음 보았을 때는 여름이었다. 그때는 무수히 많은 새끼새들이 노란 양귀비 사이에서 날아가는 법을 배우는 계절이다. 어느 날 저녁 눈이 분홍빛을 띠었다. 해조류가 일순간 평상시의 순백색 풍경을 변화시켰던 것이다. 이제 북극곰은 물러갔지만 이번에는 해마가 어금니로 카약을 공격해 올지 모른다.

남서쪽을 향해 출발했고, 3주 만에 160km를 항해했다.

그리고 겨울이 왔다. 두 사람은 가까운 섬에 내려 겨울에 대비했다. 곰가죽을 벗겨 방한복을 만들었고, 돌오두막을 짓고, 해마기름으로 불을 밝혔다. 에스키모의 겨울나기였다.

1896년 5월 19일, 난센과 요한센은 다시 항해를 시작했다

그들의 목적지는 스피츠베르겐이었다. 그곳에 가면 본국으로 데려다 줄 바다표범잡이 어선을 만날 수 있었다. 그러나 현재 위치조차 정확히 파악할 수 없었고, 눈보라가 자주 휘몰아쳐 속도를 낼 수가 없었다. 3주 만에 얼지 않은 수역에 도달한 그들은 다시 카약을 연결시켜 뗏목을 만든 후 프란츠 요제프 랜드 해안인 듯한 곳을 따라갔다.

6월 17일, 육지를 정찰하던 난센은 개 짖는 소리와 사람의 목소리를 들었다.

"누구일까……? 나는 모자를 들어올려 인사했고 악수를 청했다. 그는 영국식 셔츠와 고무장화, 깔끔히 면도한 얼굴을 지닌 문명세계의 영국인으로 보이기도 했고, 긴 머리와 텁수룩한 수염, 더러운 누더기, 기름기와 그을음으로 까맣게 된 얼굴을 지닌 원주민 같기도 했다. '난센 씨 아니십니까? 당신을 만나게 되어 기쁘군요.'"

그는 잭슨이었다. 그들은 영국 기지 플로라곶으로 안내되었다. 8월 7일, 잭슨 탐험대의 공급선 윈드워드호에 승선한 난센은 8일 후 노르웨이 바르도에 도착할 수 있었다.

열기구로 북극 탐험을 시도한 최초의 사나이

북극에 도달하겠다는 열정에 과학적 동기만이 따랐던 것은 아니다. 많은 사람들이 단지 모험심과 명예욕 때문에 새로운

난센은 노르웨이 바르도로 귀환했다. 그러나 빙해 가운데 남겨진 프람호는 어떻게 되었을까? 난센은 1895년 3월 14일, 프람호의 지휘권을 스베르드럽에게 넘겼다. 1896년 8월 20일, 다음과 같은 전보가 도착했을 때, 난센은 조지 바덴 포웰 경의 요트인 오타리아호 선상에 있었다.
"프리초프 난센에게,
프람호의 상태는 양호함. 배 안의 모든 선원들도 건강함. 곧 트롬쇠로 출항할 예정.
오토 스베르드럽"
3년 간의 항해를 마치고 돌아온 즉시 스베르드럽은 난센의 소식을 듣기 위해 서둘러 우체국으로 향했다. 8월 25일, 두 사람은 트롬쇠 항구에서 재회했고 둘 다 영웅으로 환영받았다.

스피츠베르겐에서 이륙한 지 3일, 안드레의 열기구 이글호는 안개 속에서 헤매다 얼음막으로 늘어난 하중을 견디지 못하고 데인즈섬 북동쪽 560km 지점의 빙해에 내려앉았다(왼쪽). 세 사람은 두 달 동안 얼음과 반쯤 녹은 눈을 뚫고 도보로 전진했다. 프랜켈과 스트린드베르크(왼쪽 위 삽입사진)가 북극곰 옆에 서 있다. 북극곰은 그들의 주요 식량이었다. 고된 작업(왼쪽 아래 삽입사진)과 식량부족으로 그들은 극도로 피곤했고, 하루에 1.6km밖에 전진할 수 없었다. 10월 초 그들은 북위 80도 부근의 작은 바위섬 화이트에 도착했고 그곳에서 숨을 거두었다. 30여 년 후, 노르웨이 바다표범잡이 선원이 보트 안에 있는 프랜켈의 시체를 발견했다. 그곳에는 두 사람의 일기가 적힌 항해일지와 노출된 필름이 몇 장 남아 있었다.

시도를 감행했던 것이다.

스웨덴의 기술자 살로몬 안드레는 풍선기구를 이용하면 조류와 빙구의 방해를 받지 않을 것이라고 생각했다. 1896년 열기구가 사용되기 시작한 지 100년 이상 되었던 때이고 머지않아 비행선이 출현할 순간이었다. 그러나 아직 비행기는 기술자들의 꿈일 뿐이었다.

안드레는 스웨덴 국왕과 다이너마이트 발명가 알프레드 노벨을 쉽게 설득하여 지원을 받을 수 있었다. 그는 풍선기구를 파리에서 제작했고, 오르넨(Ornen, 스웨덴어로 독수리라는 뜻)이라 불렀다.

그러나 북극에서 3,000km 떨어진 출발지 스피츠베르겐에는 역풍이 불고 있었다. 안드레는 비행을 포기하고 풍선의 바람을 뺐다. 이듬해 7월 11일, 안드레는 사진사 스트린드베르크와 기술자 프랜켈과 함께 출발했다. 그러나 그들은 살아 돌아오지 못했다. 33년이 지난 뒤, 노르웨이 바다표범잡이 어선이 그들의 마지막 숙영지를 화이트섬에서 발견했고, 기록, 사진, 마지막 편지 등을 가지고 돌아왔다.

당시 간행된 잡지 《프티 주르날》과 《라 도메니카 델 코리에레》에서 발췌한 이 그림들은 초기의 극지방 탐험에 대한 관심을 나타내고 있다. 이탈리아 왕자 루이스 아마데우스가 극해에 있는 그의 배에 복귀하기 위해 군중의 환호를 받으며 투린역을 떠나고 있다(아래). 세계적으로 큰 반응을 불러일으킨 또 다른 사건은 북극 정복을 둘러싼 피어리와 쿡의 다툼이었다(69페이지).

이탈리아의 젊은 왕자, 루이스 아마데우스가 경쟁에 참여했다

1899년, 왕자는 스텔라 폴라레호를 타고 프란츠 요제프 랜드 루돌프섬의 최북단 끝 북위 81도 50분에 위치한 플리젤리곶에 도착했다. 겨울을 지내는 동안 손가락에 동상이 걸려 왕자는 북극 도전에 나설 수 없었다. 1900년 3월 13일, 왕자의 장교들 중 하나인 카그니가 13대의 썰매를 끌고 북극점으로 떠났다. 그러나 하루 평균 전진속도가 10km에도 못 미칠 만큼 상황이 나빴다. 게다가 세 명의 대원을 잃었다. 4월 24일 카그니는 북위 86도 34분에 이르렀다. 난센의 기록은 다소 갱신되었지만 북극점은 여전히 저 멀리서 정복을 기다리고 있었다.

PÔLE NORD

피어리와 쿡의 치열한 경쟁,
좋은 소식인가 아니면 나쁜 소식인가?

비슷한 시기 미해군 토목기사 로버트 피어리 또한 극지방을 정복하려는 야심을 불태우고 있었다. 미국인 기업가들의 모임인 피어리 북극 클럽의 지원을 받은 그는 1886년에서 1908년 사이에 여덟 차례의 탐험을 실시했다. 특히, 캐나다 군도와 그린란드 북쪽에서 이루어진 첫 시도에서 그는 풍부한 경험을 쌓을 수 있었다. 이때 익힌 에스키모식 생존방식은 1908년에서 1909년 사이에 수행된 북극 탐험에서 유용하게 이용되었다.

1908년 8월, 루스벨트호를 지휘해 그린란드 북동쪽 해안에 기착한 피어리는 몇 세대의 에스키모 가족과 246마리의 개를 태웠다. 그는 치밀한 탐험준비를 갖추면서 셰리든곶에서 겨울을 보냈다. 대원들은 백곰, 순록, 사향소 등을 사냥하여 훈제고기를 만들어 저장했고, 난방과 조명을 위해 기름을 비축했으며, 개썰매와 썰매장비도 만들었다. 여자 에스키모를 동원하여 옷과 장화를 준비하는 일도 잊지 않았다.

1909년 3월 1일, 피어리는 17명의 에스키모인과 19대의 썰매, 133마리의 개, 그의 조수이며 동료인 매튜 헨슨, 그리고 다른 사람들 다섯 명을 동반하고 엘스미어섬 컬럼비아곶을 떠났다. 한 달 후에는 바틀렛이 지휘하는 마지막 지원대가 북위 87도 47분에서 본부로 되돌아갔고, 피어리는 헨슨과 함께 계속 북으로 전진했다.

4월 6일, 북극점에 도달했다고 확신한 피어리는, 4월 27일에 루스벨트호로 귀환했다. 9월 5일, 인디언 하버에 도착하자마자 피어리는 아내에게 전보를 보냈다. "마침내 승리를 거두었음. 북극을 정복했음. 나는 건강함." 그러나 이것은 맹렬한 논쟁의 시작이었다.

위대한 북극 탐험에 관련한 기사라면 언제나 앞장서서 보도하는 《뉴욕 헤럴드》지로 9월 1일 한 통의 전보가 날아들었다. 전보의 발신자 프레더릭 쿡은 자신이 1908년 4월

21일에 이미 북극점에 도달했고 따라서 자신이야말로 새로운 대륙의 발견자라고 주장하고 있었다. 쿡은 피어리와 함께 그린란드 북단에서 탐사활동을 벌인 적이 있었고, 1897년부터 1899년 사이에는 제를라슈 남작이 지휘하던 벨기에 남극 탐험대를 구출했던 사람이다.

미국의 부호 존 브래들리의 지원을 받아 떠났던 1907년~1908년의 탐험에서 쿡은 컬럼비아곶 남쪽, 북극점에서 1,300km 떨어진 에스키모 마을 아누탁에서 겨울을 지냈다. 1908년 2월 19일, 그는 11명의 에스키모인, 11대의 썰매, 103마리의 개와 함께 그곳을 떠나 4월 21일에 북극점에 도착했다. 그러나 데본섬 북쪽, 스파르보곶의 동굴에서 겨울을 보내야 했기 때문에 1909년 4월 15일이 되어서야 비로소 기지로 돌아올 수 있었다. 이것이 쿡의 주장이었다.

1909년 9월 8일, 쿡의 주장에 대해 어떻게 생각하느냐는 기자의 질문을 받은 피어리는 다음과 같이 이야기했다. "쿡은 1908년 4월 21일이든 다른 어떤 날이든 북극점에 가 본 적이 없다. 그는 대중을 속이고 있을 뿐이다." 이 발언으로 한때 동료였던 두 사람은 적으로 갈라서고 말았다.

늘 그렇듯이 신문들은 상황을 더욱 악화시켰다. 《뉴욕 헤럴드》는 쿡을 지지했고 《뉴욕 타임즈》는 가장 영향력 있던 국립 지리학회의 지지를 받고 있는 피어리를 후원했다. 사건의 불똥은 의회에까지 옮겨 붙었다. 의회는 격렬한 논쟁을 벌였고, 마침내 표대결이 벌어졌다. 결과는 135표 대 34표, 피어리의 승리였고, 해군 소장이란 직함까지 수여되었다.

그렇지만 논쟁에 종지부가 찍힌 것은 아니다. 피어리가 진정한 승리자라고 할 수는 없다. 모든 사람이 납득할 만한 충분한 증거를 제시하지 못했던 것이다. 더욱이 난센, 카그니, 피어리

피어리(왼쪽)와 쿡(아래)은 북극을 정복했다는 사실을 입증할 수 없었다. 두 사람 모두 경도나 방위각을 측정하지 않았기 때문이다. 이러한 측정은 1948년 4월 23일에야 이루어졌다. 세 대의 비행기로 북극점에 도착한 네 명의 구소련인이 정확히 90도인 그들의 위치를 계산했다.

자신도 예전에는 하루에 15km밖에 전진하지 못했는데, 어떻게 하루 평균 70km나 전진할 수 있었는가 하는 점은 의문으로 남는다. 마찬가지로 쿡의 북극 탐험의 경우, 시간에 관련한 정보와 천문학적 측정법의 미비, 썰매의 중량에 관한 내용 — 얼어붙은 극지방에서 현지조달하여 1년을 버텼다는 점은 놀라운 업적임이 분명하지만 — 등은 여전히 궁금한 무엇으로 남아 있다.

북서항로를 처음으로 항해했고, 최초로 남극에 도달했던 52세의 아문센이 이번에는 북극 비행을 결심한다

1924년 가을 뉴욕. 월도프 아스토리아 호텔 그의 방에 전화벨이 울렸을 때 아문센은 미국에서 순회강연을 하던 중이었다. 극지방 탐험에 관심이 많은 기술자이자 백만장자 링컨 엘스워스에게 걸려 온 전화였다. 그는 아문센의 다음 탐험을 지원하겠다고 제안했다. 그후 엘스워스는 아문센의 충실한 친구이자 동료가 되었다.

그 무렵 아문센이 은밀히 품고 있던 계획은 스피츠베르겐과 북극점 사이를 항공기를 이용해 탐사하겠다는 것이었다. 노르웨이로 돌아오자마자 그는 준비작업을 시작했다. 그와 해군항공대의 젊은 장교 리세르 라르센은 이탈리아에서 제작된 수상비행기 도니어 월스 두 대를 선택했다. 극점에 도착한 뒤에 한 대에 남은 연료를 뽑아 나머지 한 대에 채운 후 연료가 없는 한 대는 버리고 미지의 지역 위를 날아 알래스카에 이르겠다는 구상이었다.

1925년 5월 21일, 아문센과 엘스워스, 조종사 라르센과 디트리히센 그리고 두 명의 기관사 등 여섯 명이 출발했다. 강한 북동풍에 맞서야 했던 그들은 비행 여덟 시간 만에 이미 연료의 반을 소모했다. 그들은 북극점에서 250km 떨어진 북위 87도 44분 지점의 얼음이 녹은 수로에 상륙했다. 수상비행기 중 한 대는 파손되었고, 떠다니는 얼음이 앞을 가로막아 이륙할 수가 없었다. 그들은 이륙을 위해 3주 동안 대부빙 위에 500m의 임시 활주로를 만들어야 했다.

6월 14일, 마침내 수상비행기는 이륙할 수 있었고 여덟 시간 후에는 노르웨이곶 부근에 착륙했다. 7월 5일, 오슬로에 돌아왔을 때, 그곳에서는 그들의 승리를 축하하는 열렬한 환영행사가 기다리고 있었다. 항구에 있는 모든 배들이 기적을 울려 수상비행기에 환호했고, 왕과 왕비 또한 아문센과 엘스워스를 축하해 주었다.

링컨 엘스워스(위)는 아문센(왼쪽)의 항공탐험을 지원했다. 360마력 롤스로이스 엔진을 장착한 두 대의 수상비행기 도니어 월스는 육지에 착륙할 경우와 마찬가지로 물위나 눈위에 착륙할 수 있었다. 수상비행기의 대당 가격은 8만 5,000달러였다.

또 다른 최초의 정복, 비행선 노르제호는 북극에 도착했다

움베르트 노빌레가 제작한 N-1호는 부피 1만 9,000m³의 반경식 비행선이다. 이것은 250마력의 메이바흐 모터 세 개로 움직인다. 적재량은 25톤이며, 스피츠베르겐에서 알래스카 놈까지 거리의 두 배인 8,000km의 항속거리를 갖고 있다. 아문센과 그의 동료들은 노빌레의 비행선을 타고 북극 횡단을 시도할 계획이었다. 그들은 파시스트당 당수이자 이탈리아 수상인 무솔리니의 동의를 얻어낼 수 있었다. 정권의 안정을 위해 명예와 정치선전이 필요했던 무솔리니는 이탈리아 국기를 게양한다는 조건으로 기꺼이 N-1호를 지원해 주기로 했다. 그러자 노르웨이는 7만 5,000달러에 비행선을 구입하고서 노르제라고 새로이 이름붙였다.

당시의 비행기들은 긴 극거리를 지나가기에 충분한 항속거리를 갖지 못했기 때문에 항공탐험은 여전히 불안전했다. 그러나 비행선은 비교적 행동반경이 넓었고 날씨만 좋다면 어느 곳이든지 착륙할 수 있었다. 이탈리아에서 리세르 라르센은 후에 노르제라고 불릴 반경식(半硬式) 비행선을 제작한 기술자 움베르토 노빌레를 만났다.

노르제호는 1926년 4월 10일 로마를 떠나 5월 7일 스피츠베르겐의 킹스만에 착륙했다. 리처드 버드가 이끄는 미국 탐험대가 먼저 도착해 있었다. 다음날, 버드와 비행사 플로이드 베넷은 삼발식 포커 비행기를 타고 북극으로 떠났다. 그들이 북극에 갔다 스피츠베르겐으로 돌아오는 데 걸린 시간은 15시간 30분이었는데, 기상상황이나 비행기의 속도를 고려할 때 불가능한 일이었으므로 많은 반론을 불러일으켰다.

노르제호는 5월 11일 오전 8시 50분에 이륙해 16시간 40분 만에 극점에 도달했고, 고도 200m 지점까지 하강하여 탐험에 참가한 노르웨이, 미국, 이탈리아의 국기를 극점으로 투하했다. 수로측량 기사 해리스가 북극과 알래스카 사이에 대륙이 있을 것이라고 예견했지만, 노르제호의 승무원들이 볼 수 있었던 것은 앞으로 북극해라 불릴 곳을 온통 뒤덮고 있는 부빙군뿐이었다.

5월 14일, 노르제호는 72시간을 비행한 후 알래스카에 있는 작은 마을 텔러에 착륙했다.

무솔리니는 노빌레에게 말했다. "운명을 두 번씩이나 시험하지 말았어야 했어."

노르제호 탐험에 참가한 사람들. 아문센, 엘스워스, 노빌레가 왼쪽에서 오른쪽으로 앉아 있다. 그들은 다양한 방식으로 서로를 보완했지만, 문화차이에서 오는 여러 가지 갈등이 완전히 사라진 것은 아니었다.

노빌레의 성공으로 이탈리아는 흥분의 도가니가 되었다. 비행선은 미래의 운송수단이 될 것처럼 보였으며 로마와 리오데자네이로 간에 노선을 개설하자는 의견이 제기되었다. 그러나 노빌레는 북극에 관련한 과학적 탐사에만 비행선을 사용하겠다고 고집했다.

무솔리니의 만류에도 노빌레는 1928년 4월 15일 노르제호와 한 쌍인 비행선 이탈리아호를 타고 밀라노를 출발했다. 5월 6일에 킹스만에 도착한 노빌레는 지원함정 시타 디 밀라노호와 접촉했다. 그곳에서 그는 시베리아의 섬들을 향해 여러 차례 비행을 시도했다.

5월 23일, 이탈리아호는 북극점 상공에 도달해 극점에 이탈리아 국기와 참나무 십자가를 투하했다. 스피츠베르겐으로 돌아오던 길에 비행선은 안개, 서리, 20~25노트에 달하는 역풍을 만났다.

북극을 떠난 지 서른 시간 후 눈보라가 불어닥쳤다. 5월 25일 오후 7시 30분, 비행선은 얼음에 심하게 부딪혔다

노빌레와 동료 여덟 명은 부빙 위로 추락하고 말았다. 비행선 조종실의 잔해 속에서 45일분의 식량, 텐트, 권총을 마련할 수 있었다. 그리고 승무원 중 한 사람이 충돌 순간 기적적으로 움켜잡았던 무전기가 있었다.

폭풍은 일곱 명의 승무원과 이탈리아호를 빼앗아 버렸다. 생존자들은 노스이스트 랜드 북쪽 100km 지점에 있었는데, 노빌레와 정비사는 부상을 당해 이동이 불가능했다. 노빌레는 규칙적으로 무전기를 통해 조난신호를 보냈다. 시타 디 밀라노호는 비상조치를 취하고 잔뜩 긴장했지만, 조난신호를 들을 수 없었다. 이탈리아호의 실종이 보도된 후, 신경을 곤두세우고 주파수를 맞추고 있던 유럽의 모든 무선기도 구조요청을 듣지 못했다.

답신이 없자 차피, 마리아노, 맘그렌 세 사람이 도움을 청하러 떠나기로 결정했다. 6월 1일이었다. 5일 후, 구소련 아마추어 무선사가 조난신호를 청취했고, 마침내 시타 디 밀라노와 연결이 이루어졌다.

6개국에서 선박 18척과 비행기 22대와

구조대원 1,500명을 파견했다. 구소련은 융커기를 탑재한 쇄빙선 말리귄호와 크라신호를 보냈다. 아문센은 오슬로에서 열린 연회 도중에 이 소식을 들었다. 구조활동에 참가할 생각이 있느냐는 기자의 질문에 그는 즉시 떠날 것이라고 대답했다. 이 말로 그의 운명이 결정되었다.

스웨덴과 노르웨이 정부에 도움을 요청한 바 있었지만, 무솔리니는 아문센의 제의를 거절했다. 아문센이 노르제호 탐험에서 노빌레와 의견차이를 가졌다는 이유로 그를 이탈리아의 적으로 규정했던 것이다. 따라서 라르센이 노르웨이 구조대를 인솔하게 되었고, 흥분한 아문센은, 다른 방법을 찾던 도중, 극지방 비행에 적합하지 않은 라탕 47기를 제공한 프랑스 정부의 제안을 수락하고 말았다. 6월 18일, 기장 기보가 조종하는 비행기에 다른 네 명의 동료와 함께 탑승한 아문센은 트롬쇠를 이륙했다. 그후 사람들은 그들을 다시 볼 수 없었다.

크라신호(위)의 구조작업은 노련한 북극 탐험가 사모일로비치의 지휘로 진행되었다. 스피츠베르겐 북쪽에서 크라신호는 매우 단단한 얼음에 부딪혀 키가 손상되고 좌현 프로펠러가 부서졌다. 그렇지만 계속 무선교신을 해 안내해 준 노빌레의 도움으로 크라신호는 쉼 없이 전진할 수 있었다. 7월 11일, 마침내 크라신호는 붉은 텐트를 발견하고 근처에 정박했다. 그리고 다섯 명의 생존자들인 비글리에리, 베우넥, 트로야니, 세시오니, 비아지 등을 구조했다.

로마로 돌아온 노빌레(위)는 군중의 열광적인 환영을 받았지만 무솔리니는 공식적인 조사를 명령했다. 비록 무죄는 증명되었지만 악의에 찬 비난으로 심한 모욕을 받은 노빌레는 구소련으로 가서 비행선을 제작했다. 그는《나의 극지방 비행기》를 남기고 1978년 이탈리아에서 세상을 떠났다.

사고가 난 지 30일 후 구조대가 도착한다

6월 24일, 이탈리아호의 생존자가 있는 붉은 텐트 근처에 성공적으로 착륙한 스웨덴 단발기는 한 사람만을 태우고 다시 출발했다. 그것은 노빌레였는데, 그는 동료들의 요청으로 구조대를 구성하기 위해 먼저 떠났던 것이다.

스웨덴 단발기 조종사 룬트보리는 남아 있는 조난자들을 찾으러 돌아갔지만 불시착하여 야영지의 생존자들과 합류했다. 노빌레는 일행을 남겨 놓고 먼저 떠나왔다고 비난을 받았지만, 부상의 고통을 이겨내고 구소련 구조대를 안내하는 중요한 역할을 수행했다.

7월 10일, 쇄빙선 크라신호에서 이륙한 융커기가 신호를 보내고 있는 두 사람을 발견했다. 그들은 구조요청을 하러 한 달 먼저 일행을 떠났던 차피와 마리아노였다. 발에 동상이 걸린 맘그렌은 동료에게 방해가 되지 않으려고 스스로 죽음을 선택했다고 한다. 크라신호 구조팀은 3일 후 그들을 구조하는 데 성공했다. 그런데 차피는 따뜻하게 옷을 입고 몸도 좋아 보였던 반면, 마리아노는 얇은 옷을 걸치고 있었고 몸도 매우 쇠약해 있었다. 증거는 아무것도 없었지만, 차피는 식인행위를 했다는 이유로 비난받았다. 같은 날 저녁, 크라신호는 붉은 텐트에 있던 최후의 조난자 다섯 명을 구조했다.

The "Discovery" in Winterquarters. 1903.
E.A.W.

"남극 탐험은 세기말 전에 시도해야 하는 가장 중요한 지리학적 과업이다." 1895년 런던에서 열린 제6차 국제 지리학 회의는 지난 반세기 동안 무관심 속에 방치되었던 남극 탐험을 다시 추진하자고 결의했다.

제4장

남극의 중심에서

남극의 역사는 스콧의 비극과 따로 떼어 생각할 수 없다. 1903년 그는 디스커버리호(78페이지)를 타고 부빙과 용감하게 맞섰다. 1912년 1월 17일, 마침내 남극에 도달한 스콧과 그의 동료들(왼쪽)은 아문센이 그들보다 먼저 이곳에 왔음을 깨달았다.

벨기에 해군 장교 제를라슈 남작이 시대적 요구에 따랐다

1897년 8월 아드리앙 제를라슈 남작은 벨지카호를 타고 앤트워프를 떠났다. 그의 배에는 로버트 피어리와 함께 그린란드 북부 지역을 탐험한 의사 프레드릭 쿡과 로알드 아문센이 타고 있었다.

여름 동안(1898년 1월과 2월) 그레이엄 랜드 일부 지역을 탐험하고 벨링스하우젠해를 가로질러 동쪽으로 전진했지만 그만 얼음에 갇히고 말았다. 해안에서 270km 떨어진 수역에서 바람 부는 대로 표류하면서 겨울을 보냈다.

승무원들이 괴혈병과 빈혈로 시달렸으나, 쿡은 바다표범과 펭귄고기를 이용한 식이요법을 처방하여 그들을 구했다. 벨지카호는 끔찍한 악천후 덕분에 기상상황에 관련된 많은 정보를 수집할 수 있었는데, 이 정보는 나중에 이곳을 탐험할 사람들에게 유용한 자료로 쓰였다.

20세기 초에 들어서면, 스웨덴, 프랑스, 영국, 노르웨이, 독일 등 9개국이 위대한 과학적 탐사의 전통을 이어 남극 탐험에 나선다.

북동항로를 발견한 닐스 노르덴시욀드의 조카 오토 노르덴시욀드는 웨들해로 출항했다. 오토가 그레이엄 랜드 동쪽 해안에서 겨울을 나는 동안, 그의 배 남극호는 북쪽으로 흘러가 빙해에 갇혔고, 얼음의 압력에 깨져 침몰하고 말았다.

예전에는 극지방에 별다른 관심을 기울이지 않았던 독일인도 프람호의 성공에서 자극을 받아 가우스호를

1899년 9월 베를린에서 열린 제7차 국제 지리학 회의에서 스콧은 다음과 같이 연설했다. "최근 북극 탐험시 더 많은 개들이 이용되었다. 하지만 이것이 예전에 개의 도움 없이 수행된 탐험에 비해 더 나은 성과를 얻어냈다고 볼 수 없다. 북극지역에서 개를 이용하여 수행된 주목할 만한 장거리 탐험을 들라면, 그린란드를 횡단한 피어리 씨 경우를 얘기할 수 있다. 하지만 그는 현지에서 조달된 자원이 아니었다면 살아 돌아오지 못했을 것이다. 그리고 개들은 지나치게 혹사를 당해 지쳐 쓰러졌거나 다른 개들의 먹이가 되어 한 마리밖에 살아 남지 못했다. 이것은 매우 잔인한 탐험대 조직 방법이다."
난센이 일어나 답변했다. "나는 개를 이용하기도 했고, 개의 도움 없이도 여행했다. ……
사실 개를 이용하는 것은 잔인하다. 그러나 사람들로 하여금 무거운 짐을 운반케 하는 것도 마찬가지로 잔인한 행위 아닌가?"

건조했다. 에릭 폰 드리갈스키는 가우스호를 운항해 빌헬름 2세 랜드로 가 겨울을 보내면서 지자기에 관한 연구를 수행했다.

영국 왕립 지리학회는 제임스 클라크 로스 경의 업적을 계승할 탐험대를 조직하기 위해 애썼다

1899년, 왕립 지리학회 회장인 클레멘츠 마컴 경은 기업가 르웰린 롱스태프와 언론계의 거물이며 《데일리 메일》지의 창립자인 알프레드 함스워스에게 탐험에 필요한 기부금을 받았다. 독일의 탐험계획에 자극받은 정부가 모자라는 자금을 제공했다. 이 자금을 이용해 마컴은 디스커버리호를 건조하는 한편, 대원을 모집했다.

해군본부는 특수임무를 담당하게 될 다수의 장교와 마컴의 요구에 잘 들어맞는 탐험대장을 파견해 주었다. 탐험대장인 32세의 해군 소령 로버트 팰콘 스콧은 극지방 탐험에 신출내기였다. 그는 후에 영웅이 되지만 동시에 불운한 희생자로 남는다.

탐험대에는 과학자들도 포함되어 있었는데, 그중 박물학자

난센은 개를 이용하라고 권해 주었지만 스콧은 그의 부하들이 직접 썰매를 끌 것을 지시했다. 이러한 사실은 두 탐험대 간에 보여지는 단순한 탐사기술상의 차이점이 아니다. 스콧은 자립심을 강조하는 영국 해군의 전통과 동물을 사랑하는 영국인의 정서를 따랐던 것이다.

에드워드 윌슨은 죽기 전까지 스콧 곁에서 중요한 역할을 담당했다. 두 명의 상선(商船) 장교도 주목할 만한 인물이다. 잭슨 탐험대에 참가했던 아미티지와 나중에 위대한 극지방 탐험가가 될 스물여섯 살 먹은 어니스트 섀클턴이 그들이다.

난센이 개썰매를 사용하는 편이 좋겠다고 충고했지만, 불행히도 스콧이나 (나중에는) 섀클턴 모두 이 충고에 귀기울이지 않았다. 1902년, 디스커버리호는 에레버스산 기슭의 맥머도만에서 겨울을 보냈다. 11월 초, 스콧, 윌슨, 섀클턴 등은 스스로 썰매를 끌면서 남극점으로 떠났다. 12월 말, 세 사람은 허기에 지쳐 돌아왔다. 게다가 섀클턴은 괴혈병으로 고통받고 있었다.

1903년 1월 말, 디스커버리호는 여전히 얼음에 묶여 꼼짝할 수 없었지만, 다행히 구조선 모닝호가 16km 떨어진 지점에 정박해 있었다. 섀클턴과 다른 대원 몇을 돌려보내고, 스콧은 마컴의 비밀지시에 따라 그곳에 남아 두번째 겨울을 보냈다. 해군본부가 항의하고 나섰지만, 이미 엎질러진 물이었고, 다음해 작전권을 이양받는 데 만족해야 했다.

1년이라는 세월이 단조롭게 흘렀고, 해군본부가 보낸 두 척의 배가 탐험가들을 구조하러 왔다. 2월 15일까지 디스커버리호를 포기하라는 명령이 내렸으나, 천만다행 15일에 불어닥친 남동풍이 부빙을 흩뜨려 놓았고 디스커버리호는 뉴질랜드를 향해 기수를 돌릴 수 있었다.

"떠나올 때면 정신적 육체적 피로는 말끔히 사라지고 오로지 그곳으로 다시 돌아가고 싶다는 생각만 맴돌 만큼 강렬하고 집요한 극지방에 대한 매력의 근원은 무엇인가? 두려움을 주는 황량한 극지방의 놀라운 매력은 어디에서 오는가?"
장 밥티스트 샤르코

샤르코의 탐험, 프랑세호에서 푸르쿠아-파 호까지

유명한 신경과 의사, 장 마르탱 샤르코의 아들 장 밥티스트 샤르코는 의사가 되기 위한 수련을 받았지만, 탐험가로서의 천부적 재능도 지니고 있었다. 1903년 8월 31일, 샤르코는 세대박이 범선 프랑세호를 타고 브레스트를 떠났고, 윈들섬에서 겨울을 보내면서 해안 900km에 걸쳐 수로 측량을 실시했다. 1905년 프랑스로 돌아왔을 때 사람들은 그를 열렬히 환영했고, 정부는 그의 새로운 배 푸르쿠아-파호에 대한 재정적 지원을 약속했다.

1908년 8월 15일, 샤르코는 르아브르항을 출발하여

샤르코는 프랑세호와 푸르쿠아-파호에 해군 장교와 과학자들을 태우고 출항했는데, 탐험을 통해 귀중한 과학적 정보를 얻으려는 목적에서였다. 그는 여러 섬과 지역에 프랑스식 이름을 붙였다.

남양으로 향했다. 애들레이드섬을 정찰하고 포르섬의 여울에서 난파를 모면하고, 알렉산드르 1세 섬에 접근했다. 그곳은 아일랜드 크기 만한 섬으로, 1938년 존 리밀이 등장하기 전까지 아무도 탐험하지 못했던 지역이다. 알렉산드르 1세 섬 북쪽에 위치한 작은 섬인 피터만에서 겨울을 보낸 샤르코는 서경 120도까지 부빙을 따라 항해했다. 이것이 샤르코의 마지막 남양 여행이었다. 제1차 세계대전 후 샤르코는 그린란드해 탐험에 몰두했다. 푸르쿠아 - 파호는 1936년 9월 16일 아이슬란드 해안에서 폭풍을 만나 샤르코가 익사하기 전까지 여러 해 동안 북극해를 항해했다.

남극점을 향한 섀클턴의 도전

1903년 강제로 송환되었던 섀클턴은 다시 떠나기를 열망했다. 스콧을 능가할 수 있다고 확신한 그는 지리학적 남극점 탐험을 시도하기 위해 런던 재계의 후원을 받고자 했다. 마침내 1907년 2월 금요일, 기업가 버드모어가 지원을 약속했다. 다음 월요일 섀클턴은 왕립 지리학회 비서실로 들어섰다. 유명한 탐험가들이 그곳으로 모일 예정이었다. 북서항로 개척에 대해 강연하기로 한 아문센과 주영(駐英) 노르웨이 대사가 된 난센을 만날 수 있는 좋은 기회였다. 다음날 《타임즈》지는 아문센의 강연과 남극 정복을 위해 새로 파견되는 영국 탐험대에 관한 기사를 보도했다.

출발을 위한 모든 준비가 끝났다. 소형 바다표범선 님로드호가 준비되었고, 16명으로 원정대가 조직되었는데, 토머스 데이비드, 더글러스 모슨, 레이몬드 프리슬리 등은 지질학자였다. 그들의 목적지는

난센이 추천했던 개 대신 만주산(産) 조랑말을 선택한 섀클턴(84페이지)은 3년 후 스콧이 반복하게 될 실수를 저질렀다. 그는 하루에 800kg을 끌 수 있는 조랑말에게 하루에 5kg의 식량이 필요한 반면, 50kg을 끌 수 있는 개에게는 750g의 식량이 필요하므로, 조랑말이 더 능률적이라는 사실을 계산해 냈으나, 조랑말이 깊이 쌓인 눈 속에 빠지기 쉬우며 눈보라가 치면 몹시 고통스러워한다는 사실을 간과했다. 조랑말이 눈보라에 견디기 어려운 이유는 땀이 얼어붙어 마치 얼음코트를 입은 것처럼 되어 버리기 때문이다. 반면에 혀로 땀을 분비하는 개들은 영하 40℃의 눈보라 속에서도 바깥에서 잠을 잘 수 있다. 1907년에 수행된 님로드호의 남극 탐험(위)과 1909년 님로드호에서 파견된 탐험대(아래)이다.

맥머도만이었다. 그때 스콧이 개입했다. 맥머도만은 자신에게 우선권이 있으므로, 그의 옛 부관은 다른 지역을 기지로 이용해야 할 것이라고 주장했던 것이다.

님로드호는 로스 빙붕 아래의 만입(彎入) 부분인 웨일스만을 향해 떠나 1908년 1월 말에 그곳에 도착했지만 진입부가 얼음으로 막혀 있었다. 서쪽에 있는 에드워드 7세 랜드에 다시 정박을 시도했는데, 부빙이 밀집해 있어 이번 시도도 여의치 않았다. 어쩔 수 없이 섀클턴은 맥머도만을 기지로 사용할 수밖에 없었다. 스콧은 이것을 결코 용서하지 않았다.

남극점 공격, 미지의 지역에서 도보로 2,800km를 주파하다

장비 운송 방법, 식량 조달, 공격조 구성이 가장 중요한 문제였다. 개를 이용하라는 난센의 충고가 있었지만 섀클턴은 만주산 조랑말을 구입했다. 그러나 열 마리 중에서 여섯 마리가

지리학적 남극점에 도달하려 했던 공격대원들이 님로드호에 귀환했다. 왼쪽에서 오른쪽으로 프랭크 와일드, 어니스트 섀클턴, 에릭 마셜, 제임슨 애덤스.

출발하기도 전에 죽었고, 사람들이 직접 썰매를 끌어야 할 상황이 되었다.

식량은 넉넉히 준비되어 있었다. 영양부족에서 발병하는 괴혈병으로 죽을 뻔했던 섀클턴은 의사의 처방에 따라 음식 배급 계획을 세웠다. 예를 들어 겨울에는 바다표범 고기를 지급하고, 행군시에는 페미컨(말린 쇠고기에 과일, 지방을 섞어 굳힌 휴대용 식량)과 비스킷(하루에 1인당 900g)을 나누어 준다는 내용이다.

11월 말 섀클턴은 스콧의 기록을 경신했고, 이어서 버드모어 빙하를 발견했다. 200km의 길고 완만한 경사를 이루는 고도 2,000m에 달하는 이 빙하는 곧바로 남극고원으로 그들을 이끌어 줄 것만 같았다.

섀클턴은 탐험을 후원했던 영국인 실업가의 이름을 따서 자신이 발견한 빙하를 버드모어라 불렀다. 그리고 그 빙하 서쪽에 인접한 산맥은 남극점에 게양할 영국기를 주었던 빅토리아 여왕의 이름을 따서 지었다. 공격조는 목적지에 도달하지 못했지만, 국기는 남극점에서 160km 떨어진 곳에 세워졌다. 이때의 모습이 사진으로 남아 있다.

죽은 사자보다 산 당나귀가 더 좋지 않겠소

이 한마디로써 섀클턴은 남극을 눈앞에 두고서 되돌아서기로 결정할 수밖에 없었던 당시의 심정을 아내, 에밀에게 설명했다.

1909년 1월 9일, 160km 앞에서 남극점이 그들을 기다리고 있었다. 그러나 대원들은 심하게 지쳤고 식량도 바닥을 드러내고 있었다. 이곳까지 오는 데 70일이 소요되었고, 맥머도만으로 돌아오는 데는 50일이 걸렸다. 그러나 님로드호는 이미 출항한 뒤였다. 빙해에 갇히지 않기 위해서는 늦어도 3월 1일까지 출항해야 한다는 명령을 받았기 때문이다.

님로드호는 맥머도만 북쪽 32km 해상에 떠 있었고, 섀클턴 공격조를 다시 만날 수 있다는 희망을 품은 승무원은 한 사람도 없었다. 시체라도 찾아야 하지 않겠느냐며, 이곳에서 겨울을 나겠다는 지원자가 속출했다. 그때 한 줄기 연기가 솟아올랐다. 섀클턴이 자신의 위치를 알리기 위해 오두막집을 태웠던 것이다. 이번 탐험에는 또 다른 성과가 따랐다. 빅토리아 랜드를 조사한 데이비드, 모슨, 매케이가 자남극점에 도달했다는 사실이다.

"이처럼 용감한 사람들에게는 최악의 상황도 최선의 상황으로 바뀔 수 있다."
로버트 브라우닝

TERRA NOVA

스콧 대 아문센, 남극을 향한 경쟁

1909년 6월 14일, 영국으로 돌아온 섀클턴은 군중과 언론에게 영웅으로서 대접받았다. 또한 그는 36세의 나이로 에드워드 7세가 주는 기사작위를 받았다.

새클턴의 성공을 시기하던 스콧은 새로운 탐험을 결심했다. 그러나 주변상황은 그에게 불리하기만 했다. 유럽에 전쟁이 일어나리란 소문이 나돌았고, 해군본부는 전쟁무기를 마련하는 데 많은 돈을 투자하고 있었다. 여느 때 같으면 재정이 넉넉했을 과학단체도 어렵기는 마찬가지였다. 재정후원자 찾기가 모래밭에서 바늘 찾기만큼 어려웠던 것이다.

대중의 여론만이 모험가들 편이 되어 주었다. 도박판에 끼여든 심정으로 스콧은 그의 계획을 《타임즈》지에 기고했다. 곧 반향이 일어났다. 전국민적 모금운동이 전개되었고 정부 보조로 잔액이 충당되었다. 이제 다시 한번 도전할 차례였다. 그러나 긴축재정을 감수해야 한다.

스콧이 추천한 해군 대위 에드워드 에번스가 지휘하는 테라 노바호 (88페이지)가 1910년 6월 1일 출항했다. 스콧은 남아프리카 사이몬스타운에서 탐험대에 합류했다. 한편, 세실 헨리 미어스는 개 30마리와 조랑말 17마리를 사기 위해 시베리아로 떠났다. 개에 대해서는 경험이 풍부했던 미어스였지만 조랑말에 대한 지식은 전혀 없었으므로 조랑말을 잘못 선택하고 말았다. 조랑말을 책임지고 있던 선장 티투스 오츠는 이 사실을 너무 늦게 깨달았다. 하지만 그는 조랑말을 원정에 대비해 조련하는 데 최선을 다했다.

스콧은 출항했고, 아문센 역시 출항을 준비했다

스코틀랜드 옛 포경선 테라 노바호가 출항준비를 마쳤다. 승무원 65명(그중 50명은 해군에서 파견), 조랑말 17마리, 개 30마리가 승선하여 대기중이었다. 로타레 산맥에서 샤르코가 시험했던 세 대의 모터 썰매도 준비되었다. 준비작업은 거의

1년 동안 계속되었다. 이번 탐험은 두 가지 목적을 지녔다. 과학적인 연구 수행과 남극점 정복이 그것이었다. 남극에서 스콧은 막강한 경쟁자 아문센을 만난다.

난센의 지원을 받은 아문센은 프람호로 북극에서의 또 다른 표류탐험을 준비하고 있었다. 베링 해협에서 출발하여 북극점을 횡단하려는 계획이었다.

그러나 1909년 9월 쿡과 피어리가 북극을 정복했다는 경쟁적 발표가 따르고, 재정후원자 중 몇 명이 발뺌을 하고 나서자, 아문센은 계획을 수정하기로 했다. 물론 북극에서의 표류탐험을 착수할 생각이었지만, 우선 1년 정도 남극에서 보내고 싶었다. 이러한 계획수정에 의아해할 이유는 없다. 그때까지만 해도 파나마 운하가 건설되지 않았으므로 유럽에서 베링해로 가려면 혼곶을 지나야 하지 않는가?

아문센은 최초로 남극에 도달하기를 원했다. 하지만 자신이 스콧과 경쟁관계에 놓여 있음을 잘 알고 있었고, 당시 영국과 노르웨이 간의 복잡한 정치관계를 고려하지 않을 수 없었기 때문에, 그는 일단 아무것도 밝히지 않는 것이 상책이라고 판단했다. 1910년 6월에 출항하는 프람호는 베링 해협을 향하는 듯이 보였다.

프람호가 남극으로 전진하고 있음을 알립니다

마데이라에서 보낸 아문센의 전보가 스콧에게 도착했다. 그는 또한 노르웨이 왕과 난센에게도 자신들의 탐험계획이 변경되었음을 알리는 편지를 보냈다. 스콧은 이에 격분했다.

아문센이 남극에 상륙한 것은 1911년 1월 14일이었다. 아문센은 로스 빙붕 웨일스만에 프람하임 기지를 건설하고, 여덟 명의 동료, 116마리의 개와 함께 월동준비를 했다.

1주일 전 스콧은 맥머도만에 테라 노바호를 정박시켰다. 스콧은, 과학자팀으로 하여금 여러 가지 조사활동을 벌이게 하고, 최정예 공격조를 구성해 남극점을 정복하고, 캠벨이 지휘하는 세번째 팀을 남겨 두어 에드워드 7세 랜드에서

아문센(위)과 그의 동료들은 열흘 만에 웨일스만에 프람하임 기지(아래)를 세웠다. 비슷한 모양을 갖춘 14개 텐트는 개집, 식량 · 석탄 저장고로 사용되었다. 아문센이 텐트 폴하임(91페이지)을 남겨 둔 곳은 지리학적 남극점에서 2.74km 떨어진 지점임이 증명되었다.

겨울을 나도록 한다는 야심 찬 계획을 품고 있었다.

항해 도중 테라 노바호는 프람호와 아문센을 마주쳤다. 영국인과 노르웨이인은 자신들의 계획에 대해 정보를 교환하고 서로의 배를 비교해 보았다. 그리고 나서 영국인은 아데어곶에 캠벨팀을 내려놓기 위해서 맥머도만을 향하여 다시 출발했다.

프람하임(90페이지)에서 노르웨이인은 장비를 마지막으로 손질하고 짐을 간단히 챙겼으며 개들을 훈련시켰다. 아문센은 간혹 독재적 기질을 보여 주었지만, 민주적인 규칙을 따르며 최선의 팀웍을 이루어 냈다.

행군, 남극으로!

봄이 되자 남극까지 그와 동행할 네 명의 동료가 선발되었다. 이미 아문센과 북서항로를 탐험했던 노련한 장교이며 개 전문가인 헬머 한센, 썰매 조정을 맡은 세관원 스베르 하셀, 스키 챔피언 올라브 비아랜드, 포경선 포사수 오스카 위스팅이 그들이었다. 그해 가을에 아문센은 남위 80도, 81도, 82도 세 곳에 창고를 설치해 식량을 보관해 두었다.

1911년 10월 20일, 각각의 썰매를 개 12마리가 끌게 하여 일행은 프람하임 기지를 떠났다. 11월 17일, 그들은 남위 85도 지점의 산맥 기슭에 도착했다. 그때까지 잠시도 쉬지 않고 매일 24km를 행군한 셈이었다. 남극점까지 갔다가 돌아오려면 아직도 1,100km가 남아 있었다.

도처에 크레바스(crevasse)가 널려 있는 액슬하이버그 빙하의 무시무시한 오르막길을 기어올랐다. 빙하 정상에서 아문센은

"당시의 나만큼 자신의 욕망과 정반대 지점에 서 있는 사람은 본 적이 없다. 어린 시절부터 나의 마음을 끌어당겼던 것은 북극이었는데, 나는 남극에 있었다. 이보다 더 거꾸로 뒤바뀐 일이 어디 있겠는가?"

아문센
〈남극〉

에번스곶에서의 겨울

에번스곶에 있는 스콧 기지와 작업에 열중하고 있는 스콧(삽입사진). 겨울팀이 15명의 참모진, 9명의 해군 장교, 선원들로 구성되었다. 영국 해군의 위계질서에 따라 장교와 과학자들은 전용식당에서 식사할 수 있었고, 전대원은 각자의 숙소를 배정받았다. 지질학과 지도제작술, 기상학과 빙하학 등 여러 분야에서 다양한 성과와 발견이 이루어졌다. 윌슨, 체리 개러드, 헨리 바우어스 등은 황제펭귄의 알을 제자리에 갖다 놓기 위해 혹한을 무릅쓰고 밖으로 나가기도 했다. 파충류와 새 사이의 잃어버린 고리(Missing Link)로 여겨지는 황제펭귄에 대해 연구된 사항이 전혀 없던 시절이었다. 과학연구에 이처럼 큰 비중을 두었던 스콧은 남극 정복에 따르를 여러 가지 난관을 과소평가했다. 비록 그의 주위에는 용감한 사람들이 많았지만, 그에게는 아문센이 가지고 있던 경험이 부족했다.

기지에서의 축제

1911년 6월 22일, 스콧과 그의 참모진은 남극기지의 전통적 축제인 미드윈터스 데이(Midwinter's Day)를 즐겼다. 왼쪽에서 오른쪽으로 데번햄, 오츠, 미어스, 바우어스, 체리 개러드, 스콧, 윌슨, 심슨, 넬슨, 에번스, 데이, 테일러 순으로 앉아 있다. 왼쪽에 서 있는 사람은 라이트와 애킨슨이고 오른쪽에는 그랜이 서 있다. 보르도산 포도주와 샴페인을 곁들여 바다표범 콩소메(consommé)를 즐기고 있다. 왼쪽 벽에는 나폴레옹의 열렬한 찬미자인 오츠 선장이 가져온 나폴레옹을 새긴 판화가 보인다.

쓰라린 승리

이 사진이 승리의 사진이 될 수도 있었다. 스콧(가운데 서 있는 사람)과 동료들(왼쪽에서 오른쪽으로 윌슨, 에번스, 오츠, 바우어스)에게는 불운이 끈질기게 따라다녔다. 그들은 텐트 안에서 아문센이 남겨 놓은 편지를 한 통 발견했다.
"친애하는 스콧 대장, 우리가 떠난 뒤 이곳에 가장 먼저 도착할 사람은 당신일 것 같으므로, 노르웨이 국왕 하콘 7세에게 보내는 이 편지를 당신이 대신 전해 주었으면 하고 부탁하오. 만일 우리가 텐트에 남겨 놓은 장비들 중 쓸 만한 것이 있다면 주저 말고 사용하시오. 안부 인사를 전하며 당신이 무사히 귀환하기를 빌겠소. 그럼, 안녕히."

로알드 아문센

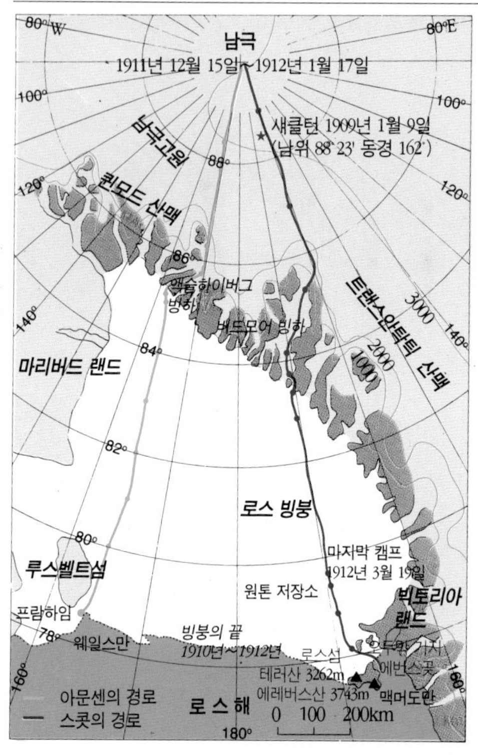

"실패의 원인은 불충분한 탐험준비에 있지 않았다. 그것은 우리가 처했던 온갖 위험 속에 깃들였던 불운에 있다."

로버트 스콧

세 대의 썰매를 끄는 데 필요한 18마리의 개들만 남겨 두고 나머지 개들은 죽이라고 명령했다. 12월 10일, 남극점 전방 110km 지점에 도달했다. 고도가 점점 낮아지고 있었다.

12월 14일, 아문센과 동료들은 드디어 90도 지점에 도착했다. 그들은 3일 동안 육분의로 태양의 고도를 측정했다. 피어리와 쿡이 이러한 측정을 하지 않아 얼마나 곤욕을 치렀던가! 떠나기 전에 아문센은 스콧에게 편지를 남겼다. 1912년 1월 25일, 아문센 공격조는 96일 만에 프람하임으로 돌아왔다.

그동안 스콧은 대원들을 이끌고 서서히 앞으로 나아갔다

1911년 12월 10일, 버드모어 빙하에 도착했다. 눈보라에 고통받은 조랑말은 얼어붙은 땀을 뒤집어쓰고 있었다. 스콧은

"잠깐 나갔다 오겠소."
대원들의 행군을 방해하지 않고 눈보라 속에서 죽기로 결심한 오츠가 동료들에게 남긴 마지막 말이다. 위는 그의 용기를 찬사하는 그림이다.

조랑말을 죽이라고 명령했다. 짐은 세 대의 썰매에 나누어 싣고, 썰매 한 대당 네 명이 끌며 등반을 시작했다. 남극점까지 770km를 남겨 두고 있었다. 빙하 등반에 11일이 소요되었다. 스콧은 마지막 지원팀을 돌려보내고, 윌슨, 오츠, 바우어스, 에번스 등 네 명으로 공격조를 구성했다.

1912년 1월 9일, 섀클턴이 3년 전에 뒤돌아섰던 남위 88도 23분 5초에 도달했다. 그들은 계속 전진했다. 1주일 후, 바우어는 썰매 활주부(滑走部)에 매인 검은 깃발을 보았다.

최악의 상황

1912년 1월 16일 스콧의 일기에는 다음과 같이 적혀 있다. "최악의 상황이 벌어졌다. 노르웨이인이 이미 우리를 앞질러 최초로 극점에 도달했다. …… 내일 우리는 극점을 정복할 것이다. 그리고 가능한 한 빨리 기지로 돌아가야 하리라."

귀환은 순조롭게 시작되었다. 남풍이 불어 썰매 위에 돛을 세울 수 있었고, 따라서 전진이 쉬웠지만, 대원의 상태는 엉망이었다. 에번스는 탈진했고 오츠의 발은 얼어붙었다. 2월 17일, 에번스가 추락사했다. 3월 16일, 오츠는 온몸에 회저병이 퍼졌음을 알았고, 폭풍설이 휘몰아치는 밖으로 나가서 다시 돌아오지 않았다. 다음날은 그의 32회째 생일이었다.

3월 19일, 스콧, 윌슨, 바우어스는 원톤 저장고에서 18km 떨어진 지점에 도착했지만 더 이상 앞으로 나아가지 못했다. "울부짖는 듯한 폭풍 때문에 벌써 나흘째 꼼짝못하고 텐트 안에 처박혀 있다."

11월이 되어서야 수색대는 세 사람의 시신과 스콧의 서류, 일기 따위를 발견할 수 있었다.

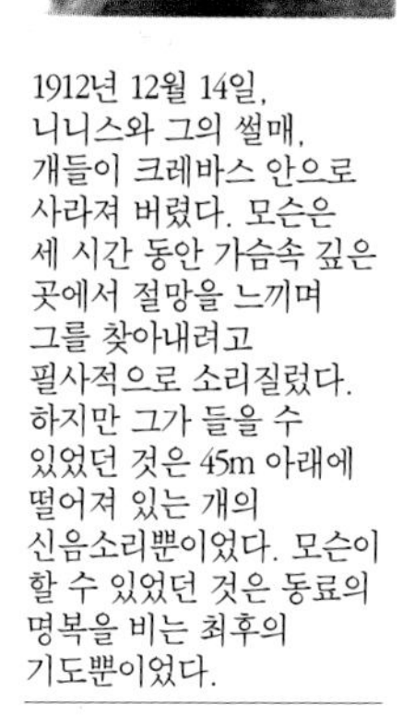

1912년 12월 14일, 니니스와 그의 썰매, 개들이 크레바스 안으로 사라져 버렸다. 모슨은 세 시간 동안 가슴속 깊은 곳에서 절망을 느끼며 그를 찾아내려고 필사적으로 소리질렀다. 하지만 그가 들을 수 있었던 것은 45m 아래에 떨어져 있는 개의 신음소리뿐이었다. 모슨이 할 수 있었던 것은 동료의 명복을 비는 최후의 기도뿐이었다.

모슨 탐험대의 남극 도전

1882년 오스트레일리아에서 출생한 더글러스 모슨은 1910년 스콧 탐험대에 가담하라는 압력을 받았다. 스콧도 그를 끌어들이기 위해 다양한 시도를 했다. 그러나 모슨은 오스트레일리아 기업가의 지원을 받아 자신의 탐험대를 결성하겠다는 포부를 지니고 있었다.

1911년 12월 2일, 호바트항을 떠난 모슨의 오로라호는 부빙을 따라 항진했다. 이윽고 아델리 랜드 약간 못 미쳐 데니슨곶에 닻을 내린 오로라호는 18명의 대원들을 얼음벌판에 내려놓았다. 데니슨곶은 1년 평균 285일 정도 강풍과 폭풍설이 휘몰아치는 곳이다.

모슨을 남겨 두고 오로라호는 서쪽을 향해 항해했다. 프랭크 와일드가 지휘하는 2차 탐험대는 해안 460km에 달하는 지역을 지도로 작성하는 임무를 수행하고 있었는데, 생물학자들의 관심을 집중시키기에 충분한 황제펭귄의 대규모 서식지를 하스웰섬 근처에서 우연히 발견했다.

모슨과 동료가 얼음을 깨어 식수로 이용하면서 아델리 랜드의 폭풍설에 맞서 싸우고 있다.

봄이 되자 여러 팀이 출발했다. 한 팀은 자남극점을 찾아 떠났고, 두번째 팀은 아델리 랜드를 횡단해 서쪽으로 떠났지만, 황량한 얼음벌판을 만났을 뿐이었다. 모슨, 스키 챔피언 새비어 머츠, 영국 장교 베스 니니스로 구성된 또 다른 팀은 동쪽으로 향했다.

빙하에서의 전진은 매우 느렸다. 12월 12일, 머츠와 모슨은 크레바스를 간신히 통과했다. 그러나 니니스와 그의 썰매, 개, 그리고 그들의 텐트와 대부분의 식량이 크레바스에 빨려 들어가고 말았다. 모슨과 머츠는 절규했지만 아무런 소용이 없었다.

기지에서 500km 떨어진 지점에 이르렀을 때, 두 사람에게 남은 식량은 열흘분이 고작이었다. 개에게 먹일 만한 것은 전혀 없었다. 결국 그들은 개를 차례로 잡아먹었고, 머츠는 결국 극도로 쇠약해져 죽고 말았다. 홀로 남은 모슨은 반쯤 떨어져 나간 썰매에 몸을 의지해 계속 전진했다. 그의 몸무게에 견디지 못한 눈이 갑자기 무너져 내리기도 했다. 그러나 썰매가 그의 몸을 단단히 지탱해 주었고, 모슨은 온 힘을 다해서 지면 위로 기어오를 수 있었다. 그것은 기적이었다.

2월 1일, 모슨은 마침내 기지에 도착했다. 오로라호는 그의 명령에 따라 얼마 전에 떠나고 없었지만, 여섯 사람이 남아서 그를 기다리고 있었다. 그들은 오로라호에 돌아오라는 무선신호를 보냈다. 그러나 폭풍설이 기승을 부렸고, 오로라호는 발이 묶이고 말았다. 모슨과 동료들은 그곳에서 겨울 한철을 꼬박 갇혀 있어야 했다. 1913년 12월이 되어서야 오로라호는 그들을 구출할 수 있었다.

섀클턴의 2차 탐험, 엔듀어런스호의 서사시

탐험대에 동반한 사진사 프랭크 헐리는 부빙에 갇혀 있는 엔듀어런스호를 극적으로 보여 주기 위해 플래시를 이용하여 촬영했다. 배는 얼음이 가해 오는 엄청난 압력을 여러 달 동안 견디어 냈다.

1912년 초, 아문센의 남극점 정복 소식이 세상에 알려졌다. 그러나 스콧의 소식은 들리지 않았다. 11월이 되어서야 그의 비극적 최후가 알려졌다. 스콧의 옛 경쟁자였던 섀클턴은 영국 탐험대를 재조직하기로 결심했다. 그의 계획은 웨들해를 출발해 남극점을 거쳐 로스해까지 가는 남극대륙 횡단으로 총 3,300km에 이르는 대장정이었다. 아문센이나 스콧의 시도보다 더 어려운 이 원정에 섀클턴은 120일이 걸릴 것이라 예상했다. 그는 다섯 명의 동료와 54마리의 개를 이끌고 출발했다.

1914년 8월. 엔듀어런스호가 출항준비를 하고 있을 때 유럽에서 막 전쟁이 발발했다. 섀클턴은 망설일 수밖에 없었다. 그러나 당시 해군장관이던 윈스턴 처칠이 그에게 출발할 것을

명령했다.

11월 초, 사우스조지아에 도착한 섀클턴은 재출발할 때까지 한 달을 기다려야 했다. 부빙군이 북쪽으로 매우 광범위하게 퍼져 있었기 때문이다. 12월 5일, 다시 항해를 시작하여 5주일 동안 해안과 얼음벌판 사이에서 부동수로를 찾아 헤맸다.

1월 10일, 엔듀어런스호는 웨들해 연안 코츠 랜드에 도착했으나, 그곳은 20m 높이의 빙벽이었기 때문에 상륙이 불가능했다. 강풍과 폭풍설이 쉬지 않고 휘몰아쳤다. "배가 얼음에 포위되고 말았음을 알았다. 돛대 꼭대기에 올라 사방을 둘러보았지만, 지평선 저 끝까지 두텁고 단단한 얼음만이 펼쳐져 있었다." 남극의 한여름, 그러나 엔듀어런스호는 얼음에 갇혀 꼼짝할 수 없었다.

"거대한 두 개의 부빙이 측면을 가로막았고, 세번째 부빙은 선미를 공격하여 마치 성냥개비인 양 키를 부서뜨렸다. 키가 부서질 때 배는 심하게 흔들리며 신음을 뱉어 냈는데, 선체가 위로 솟구치는 듯했다. 마치 지진으로 온 세상이 뒤흔들리는 것처럼 그 충격은 묘사할 수 없을 만큼 컸다."

프랭크 워슬리
〈엔듀어런스호〉

부동수로를 찾기 위한 9개월 간의 표류

1915년 1월 20일부터 10월 27일까지 무려 9개월 간 엔듀어런스호는 하루 평균 10km씩 부빙군을 따라 표류했다. 28명의 승무원들은 바다표범과 펭귄을 사냥했고 범고래와 사냥감을 서로 차지하기 위해 경합을 벌였다. 정보가 전혀 없는 상태에서 전쟁에 대해 이런저런 대화가 오고갔다.

비교적 편안한 겨울이 지나고, 봄이 되면서 얼음이 녹자 문제가 발생했다. 얼음이 녹으면서 압력이 높아져 배가 산산조각 날 지경이었다. 10월 27일, 섀클턴은 배를 포기하라고 명령했다. 탐험대는 부빙군을 가로질러 북북서 570km 지점에 있는 폴렛섬으로 향했다. 깊이 쌓인 눈을 뚫고 가야 했기 때문에 1주일에 18km밖에 전진할 수 없었다. 섀클턴은 행군을 포기하고 크고 단단한 부빙을 타고 표류하기로 결정했다. 시련은 1915년 11월부터 다음해 4월까지 계속되었다.

탐험대 사진사인 프랭크 헐리는 1916년 4월 8일 당시의

상황에 대해 다음과 같은 이야기를 들려주었다. "오전 6시 보초가 비상사태를 알렸다. 부빙이 쪼개지고 있었다. 캠프가 서 있는 지점도 금방 무너져 내릴 듯했다. 더 위험한 상황이 버티고 있다 해도 우리는 부빙에서 탈출해야 했다."

새클턴은 세 척의 보트에 대원들을 나누어 태웠다. 자신과 프랭크 와일드 그리고 11명의 승무원들은 그중 큰 포경정인 제임스 케어드호에, 프랭크 워슬리와 아홉 명의 승무원은 그보다 작은 포경정에, 크린과 세 명의 승무원은 구명 보트에 승선했다. 돛과 노를 사용했지만 사실 해류에 운명을 맡긴 셈이었다. 4월 13일, 그들은 엘레판트섬 부근의 얼지 않은 바다에 도달해 마침내 상륙할 수 있었다. 20개월 만에 처음으로 밟아 보는 단단한 땅이었다. "누가 우리를 찾을 것인가? 바다표범이나 펭귄을 잡아먹으면서 얼마나 버틸 수 있을까?" 새클턴은 구조대를 찾아 나서는 편이 나을 것이라 판단했다.

"제임스 케어드호는 돛을 올리고 출항했다. 서풍이 빠른 속도로 우리를 부빙군으로 몰고 갔다. 그후 16일 동안 우리는 거센 파도에 시달려야만 했다. 끊임없이 바닷물에 몸이 젖은 우리는 항해가 계속되는 동안 감기에 시달렸다."

새클턴
《남극에서의 나의 체험》

폭풍 치는 바다, 제임스 케어드호의 오랜 여정

엔듀어런스호의 부함장 워슬리, 일등항해사 크린, 목수 맥니시, 수병 맥 캐시와 빈센트 등을 이끌고 새클턴은 동북동

1,400km 지점의 사우스조지아로 향했다. 6.6m 길이의 포경정은 돛을 잔뜩 펼치고 목적지로 향했다. 포경기지가 있는 사우스조지아 북쪽 해안으로 가야 즉각적인 도움을 기대할 수 있었다. 그러나 폭풍이 거세게 몰아부쳐 일행은 사우스조지아 남쪽 해안으로 떠밀렸다.

"5월 9일 오후 6시가 방금 지났고 땅거미가 밀려든다. 바위투성이 해안에 부딪혔다 되돌아 나오는 거센 파도가 물거품을 뿜어대며 배를 흔든다. 희망과 절망이 교차한다. 성공과 실패를 가르는 가느다란 분기점, 그리고 명백한 재앙과 한숨 놓아도 될 법한 안전을 갈라 놓는 급작스런 전환점에 경외감을 품어 오지 않았던가!" 섀클턴은 이렇게 적어 두었다.

웅장한 산봉우리와 빙하와 얼어붙은 호수, 사우스조지아는 대서양에 옮겨다 놓은 알프스 산맥의 일부이다. 5월 19일, 섀클턴은 3일분의 식량과 밧줄 한 묶음을 지니고 두 명의 동료와 함께 출발했다. 날씨는 쾌청했으며 보름달이 떠 있었다.

세 사람은 빙하와 크레바스를 헤치고 36시간 동안 쉬지 않고 걸었다. 5월 20일 토요일 아침, 그들은 스트롬네스 포경기지의 사이렌 소리를 들을 수 있었다. 섀클턴이 포경기지의 노르웨이인 책임자에게 다가갔다.

"식사는 규칙적이었다. 8시의 아침식사에는 더운 수프 한 접시와 비스킷 두 개, 약간의 각설탕이 제공되었다. 1시의 점심식사로는 날것으로 먹는 보브릴(bovril)과 뜨거운 우유 한 잔이 지급되었다. 오후 5시의 저녁식사도 마찬가지였다. 휘몰아치는 폭풍 속에서 식사는 우리에게 유일한 위안이었다. 그것이 가져다 주는 따뜻함과 편안함은 우리 모두를 낙관적으로 만들었다."

섀클턴
《남극에서의 나의 체험》

"섀클턴입니다."
"어서 들어오시오!" 대장은 그에게 손을 내밀었다.
"전쟁은 끝났습니까?"
"끝나지 않았습니다. 수백만 명이 죽었습니다. 유럽과 세계는 온통 광기에 휘말려들었습니다."

허버트 윌킨스는 언론계의 거물 랜돌프 허스트에게서 막대한 재정지원을 받았고, 그 돈으로 두 대의 신형 록히드 베가기를 구입할 수 있었다. 1928년 11월 16일에 있었던 첫 비행에서 그는 남극점 상공을 비행한 최초의 인물이 되었다.

6명은 구조되었다. 그러나 아직도 22명이 남았다

워슬리는 지체 없이 남쪽 해안에 남겨 두고 온 세 명의 승무원을 구조하러 떠났다. 그동안 섀클턴은 엘레판트섬으로 되돌아가기 위해 포경정을 정비했다. 화요일 아침, 서던 스카이로 선수를 잡았으나, 부빙이 가로막아 철수해야 했다.
섀클턴은 포기할 수 없었다. 우루과이 정부로부터 트롤 어선 한 척을 빌려 재시도했지만 이번에도 실패였다. 칠레의 푼타 아레나스에 도착한 후 영국 거류민에 도움을 청하여 스쿠너 범선 한 척을 세냈다. 그러나 또다시 부빙군의 방해를 받아 포클랜드로 귀환했다.
1916년 7월 말 한겨울, 영국 구조선 디스커버리호가 9월 중순까지 도착하기로 되어 있었으나 섀클턴은 더 기다릴 수 없었다. 마침내 8월 25일, 칠레 선적의 소형 증기선을 몰고 가서 전대원을 구출하는 데 성공했다.
40년이 지난 1956년, 아문센과 만나기 전에 스콧, 섀클턴과 함께 남극에서 겨울을 지낸 경험이 있는 지질학자 레이몬드 프리슬리가 세 탐험가의 장점을 비교했다. 결론적으로 그는 세 사람의 장점을 종합해야 극지방 탐험의 진정한 지도자가 될 것이라고 평가했다. "과학탐사대의 지도자로는 스콧이 적격일 것이며, 신속하고 유능한 극점 공격에는 아문센이 필요할 것입니다. 구원의 손길이 보이지 않는 역경에 직면할 때라면 무릎을 꿇고 섀클턴을 보내 달라고 기도하십시오."

남극 비행

비행선과 비행기를 이용한 북극점 상공 비행에는 성공했지만 남극점에 대한 항공탐험은 아직까지 시도되지 못하고 있었다. 해발 4,000m에 달하는 남극에는 끊임없이 강풍이

휘몰아치고 비행장이나 유인기지가 없을 뿐만 아니라, 남극과 가장 가까운 보급지점이라 해도 너무 멀었다.

1928년 허버트 윌킨스라는 오스트레일리아인이 최초로 비행을 시도했다. 그는 디셉션섬을 출발하여 2,100km의 거리를 왕복했다. 그는 되돌아와서 그레이엄 랜드가 몇 개의 해협을 사이에 두고 남극대륙에서 떨어져 있다고 알렸으나, 후일 그의 주장은 사실이 아님이 밝혀졌다.

같은 해인 1928년, 미국 해군 소령 리처드 E. 버드가 비공식적 탐험을 감행하여 로스 빙붕 웨일스만에서 겨울을 지내고 자신의 기지를 리틀 아메리카라 명명했다. 1929년에서 1956년에 이르기까지 다섯 팀의 미국 탐험대가 이곳을 출발기지로 이용했다. 아문센의 노선을 따른 1929년의 항공탐험에서는 새로운 발견이 없었다. 그러나 그뒤에 수행된 항공탐험과 썰매탐험에서 지리학자 로렌스 구드는 후원자의 이름을 붙인 록펠러 산맥을 발견하고 연구했다. 1934년에 남극을 다시 찾은 버드는 그때까지 거의 알려지지 않았던 로스 빙붕 동쪽 해안을 체계적으로 탐험했다.

아문센과 북극점 상공을 비행했던 링컨 엘스워스가 1933년부터 1936년 사이 최초의 남극 횡단 비행에 성공했다. 그레이엄 랜드에서 리틀 아메리카를 연결하는 비행거리는 3,700km에 이르렀다.

포드사가 제작한 삼발기 플로이드 베넷기를 탄 버드는 아문센이 조언한 항공로를 따라 남극을 비행했다. 비행기 세 대, 개 95마리, 50명이 넘는 인원으로 구성된 탐험대가 로스 빙붕에 도착한 것은 1928년 크리스마스 때였다. 그들은 리틀 아메리카 기지를 세웠고, 몇 번의 정찰을 시행한 뒤 11월 28일에 남극점으로의 비행을 실시했다. 버드는 아문센이 도보로 석 달이나 걸렸던 거리를 단 15시간 51분 만에 주파했다.

CCP-Д4221

목숨을 건 탐험이 성공을 거두자 과학적 연구가 뒤따랐다. 지난 50년 동안 이루어진 과학적 성과와 기술적 진보, 그리고 유전 개발, 대양 수송, 환경문제, 방위문제 등 새로운 요소에 영향을 받아 극지방 개발은 괄목할 만한 발전을 거둘 수 있었다. 또한 북극과 남극 지역에서 다양한 다국적 연구활동이 벌어지고 있다.

제5장

극지방 탐험의 성과와 미래

우주항공술의 발전은 극지방 관측방식에도 혁명적인 변화를 가져왔다. 인공위성 님버스 5호가 촬영한 사진(오른쪽)은 겨울날 남극을 둘러싸고 있는 빙해를 보여 준다.

그린란드 탐험

그린란드의 대부분을 차지하는 200만km²에 달하는 내륙 대빙원에서의 과학적 탐사는 1930년부터 시작되었다. 물론 그 이전에 난센과 피어리가 스키를 사용하여 그린란드 횡단에 성공했고, 민족학자 크누트 라스무센은 개썰매로 그린란드 북동부 해안을 탐험했으며, 또한 1912년에는 스위스의 빙하학자 드 케르벵이 최초로 온도와 적설량을 측정했다.

1930년에는 코스트와 벨론트가 최초의 파리~뉴욕 논스톱 비행에 성공했다. 이로써 대서양을 횡단하는 최단의 항공로는 그린란드 상공을 지나야 한다는 사실이 밝혀졌고, 따라서 안전한 비행을 위해서는 그린란드의 기상조건을 충분히 연구해야 할 필요성이 대두되었다.

이 노선을 개설하기 위해 독일은 과학탐사대를 조직했는데, 탐사대 지휘자는 지구물리학자이자 기상학자인 알프레트 베게너였다. 그는 대륙이동설의 창시자로도 널리 알려져 있다. 독일 탐사대의 목적은 해안에서 400km 떨어진 해발 3,000m 지점에 빙하학과 기상학 연구를 위한 아이스미테 기지를 건설하는 데 있었다. 아이스미테 기지는 동쪽과 서쪽 해안에 설치되는 측후소의 지원을 받도록 되어 있었다.

1930년 4월, 베게너는 100톤의 장비를 갖추고 디스코섬 북쪽에 있는 서쪽 해안에 상륙했다. 요하네스 게오르기와 에르네스트 조르게가 여름 내내 아이스미테에 머무는 동안 베게너의 대원들은 에스키모의 도움을 받아 서쪽 해안에서 아이스미테로 물자를 보급했다.

매우 늦은 시즌인 10월 말, 베게너는 뢰베, 에스키모 라스무스와 함께 기지로 여행을 시도했다. 기온이 이미 영하 50℃까지 떨어지고 있었다. 뢰베는 다리에 동상이 걸려 고생했는데, 회저병까지 번지고 있었다. 다리 절단만이 유일한 희망이었다. 수술기구가 부족했지만 게오르기는 그의 동료를 수술하기로 결정했다. 뢰베는 목숨을 건졌다. 그러나 여행을 계속할 수는 없었기 때문에 아이스미테에서 겨울을 지내야 했다. 입이 하나 는다 해도 식량은 충분했다.

베게너와 라스무스는 17마리의 개들과 서쪽

1906년, 26세의 과학자 알프레트 베게너는 밀리우스 에리히센의 덴마크 탐험대에 합세하여 그린란드 북동부 해안을 따라 항해했다. 에리히센과 동료 두 명을 잃는 비극적인 대가를 치렀지만, 탐험대는 방대한 지역을 새로 지도에 그려 넣을 수 있었다. 또한 베게너는 퀸루이즈 랜드를 발견했다. 1912년부터 1913년 사이에 그는 조랑말이 끄는 썰매로 그린란드를 동서횡단했다. 아래 사진은 그의 마지막 탐험 때의 모습으로, 베게너가 연간적설량을 측정하기 위해 드릴로 구멍을 뚫고 있다.

1948년 가을, 최초의 프랑스 극지 탐험대가 포르빅토르에서 출항하고 있다.

해안으로 떠났다. 이것이 베게너의 최후였다. 이듬해 봄, 해안에서 189km 떨어진 곳에서 베게너의 시신이 묻힌 장소가 발견되었다. 라스무스의 소식은 아무도 듣지 못했다.

프랑스 극지 탐험대

아이스미테를 중심으로 하여 펼치고자 했던 베게너의 계획은 폴 에밀 빅토르가 지휘하는 프랑스 탐험대에 의해 실행되었다.

폴 에밀 빅토르(왼쪽)는 1934년 샤르코와 함께 푸르쿠아 - 파호를 타고 그린란드를 향해 최초로 떠났다. 1947년부터 그는 그린란드와 아델리 랜드를 탐사할 계획을 세웠고, 이를 위해 연구자와 기술자를 모집했다. 이들 가운데에서 44회나 탐험에 나선 로베르 기야르는 가장 경험이 풍부한 극지 탐험 전문가라 할 수 있다.

이전에 사용되었던 조랑말과 개썰매는 웨젤스식 무한궤도 소형차 같은 현대적 장비들로 대체되었고, 사람 대신 비행기들이 저공비행을 펼치며 기지로 식량과 연료를 실어 날랐다.

1950년과 1951년 사이에 로베르 기야르와 폴 에밀 보게가 이끄는 두 탐험대가 그곳에서 겨울을 보냈다. 여름 동안에는 지구물리학자들이 16km 간격으로 총 400회에 걸쳐 인공지진 발파(인공으로 지진파를 발생해 지하구조를 규명하는 방법)를 시도했다.

1952년, 빅토르는 툴레 기지에서 출발하여 그린란드 최북단에 이르는 2,000km 남북종단 탐험을 수행하는 데 툴레에 위치한 미군기지를 사용해도 좋다는 내용의 조약을 미국과 체결했다. 그는 기야르에게 탐험의 책임을 맡겼으며, 탐험대는 피어리와 라스무센의 여행로를 따라갔다.

영국 탐험대

영국 해군은 금세기 초 극지방 탐험에서 이룩한 영광을 재현하고 싶어했다. 그들은 그린란드 북쪽에서 북극으로 진출할 수 있기를 희망했다. 엘리자베스 2세와 윈스턴 처칠은 해군 소령 심슨이 지휘하는 영국 탐험대의 적극적인 후원자였다. 심슨 탐험대의 목적지는 여름에도 얼음으로 막혀 있어 접근이 쉽지 않은 곳이었다. 그들은 해안에서 400km 떨어진 브리태니아 호숫가에 노스아이스 기지를 세웠고, 선더랜드 비행정이 남쪽에서 보급품을 실어 날랐다. 1952년에서 1954년 사이에 영국 탐험대는

노스아이스 기지에서 겨울을 났고, 여름철에는 툴레까지 탐사를 벌였다. 인공지진 발파, 중량측정, 고도측정 따위 여러 가지 과학적 연구도 병행되었다.

1959년에서 1974년까지 15년 동안 국제 빙하탐험대가 그린란드에서 연구를 심화시킨다

그린란드에서 5개국 합동연구가 시작되었다. 그린란드의 내륙 대빙원이 안정을 유지하고 있는지 혹은 줄어들거나 늘어나고 있는지를 조사하는 것이 그들의 목적이었는데, 이 연구에는 여러 해에 걸친 반복적인 측정이 필요할 뿐만 아니라, 다국간의 긴밀한 공조체계가 요구되었던 것이다. 프랑스 극지 탐험대가 조직에 대한 전반적 책임을 맡았고, 덴마크, 스위스, 오스트리아, 그리고 독일 등이 참여했다.

두 척의 선박, 두 대의 비행기, 두 대의 헬리콥터, 그리고 다수의 무한궤도차가 동원되었고, 각국 과학자들은 대빙원의 감소와 증가를 설명할 수 있는 이론을 정립하기 위해 많은 노력을 기울였다.

대빙원의 감소는 고도 1,500m 이하의 해안지역에서 나타나는 빙하 상단의 입상(粒狀) 빙설(névé)이 녹을 경우나 빙하에서 빙산이 떨어져 나갈 경우에 나타난다. 한편, 대빙원의 증가는 그린란드 중부 지방에 해마다 내리는 눈 때문에 발생한다.

그린란드 대빙원의 빙하가 정확히 얼마만큼 증가하고 감소하는지 파악하는 일은 기술적으로 가능한 일이 아니다. 다만 그린란드의 대빙원이 모두 녹아 버린다면 해수면이 거의 7m 가량 상승할 것임은 추측할 수 있다.

1938년 최초의 표류관측소, 세베르니 폴로이우스에서 철수할 때 포즈를 취한 이반 파파닌. 가장 유명한 구소련 극지탐험가 파파닌은 1939년부터 1945년까지 북해항로 책임자로 있었으며, 1945년에는 해군 소장으로 임명되었다. 파파닌은 구소련의 남극 탐험을 열성적으로 추진해 나간 인물 중의 하나이다.

인류학적, 민족학적 관심, 이누이트 문명을 연구하여 세상에 널리 알리다

에스키모에게 처음으로 관심을 보인 사람은 덴마크의 탐험가 크누트 라스무센이었다. 그는 친구인 페터 프로이첸과 함께 1910년 이누이트족(북미 그린란드의 에스키모인)의 중심지인 우페르나빅 마을에 민간은행을 세우고 툴레라는 신화적 이름을 붙였다. 라스무센의 목적은 포경선과 몇몇 탐험대에 의해 진행된 무분별한 개발의 위험에서 에스키모를 보호하고, 모피무역을 통제하는 것이었다.

그는 이누이트족의 역사와 풍습을 연구하기 위한 탐사팀을 조직했고, 에스키모인의 사냥법과 물자 수송방법, 개와 썰매의 사용법 따위를 면밀히 관찰했다. 그가 조직한 탐사팀 중 가장 유명한 툴레 5팀(1923~1924)과 함께, 툴레와 알래스카 사이에 거주하는 에스키모 부족들을 관찰하기 위해 북서항로를 횡단하기도 했다. 그의 열성과 연구성과는 다른 학자들에게 계승되었는데, 특히 프랑스의 장 말로리는《툴레 최후의 왕들》이란 저서를 통해 전세계에 이누이트족을 널리 알렸다.

항상 웃음을 잃지 않았던 라스무센은 그린란드 서부 해안에 사는 덴마크 목사의 아들로 태어났다. 그는 그곳의 에스키모 아이들과 어울려 개썰매를 타면서 어린 시절을 보냈고, 코펜하겐 대학에서 그린란드어 교수가 되었다. 일찍부터 에스키모 여러 부족에 대한 민속학적 · 고고학적 연구에 헌신하기로 결심한 그는 이 작업의 경비를 자신이 설립한 툴레 은행의 이익금으로 충당했다.

북극해 탐험

1895년에 난센이 경험한 장기간의 표류탐험은 북극해 연구의 시작으로 기록될 수 있다. 구소련인은 신기술로 무장하고 그의 연구를 계승했다. 비행기를 부빙군 위에 착륙시켜 얼음 위에 탐사팀을 내려놓고 그곳에서 바람, 해류, 조수에 따라 이동하는 표류기지를 세웠던 것이다. 이제 예전처럼 선박과 탐험대가 얼음 속에 갇혀 있을 이유가 없었다.

1937년 5월, 구소련 비행기 네 대가 프란츠 요제프 랜드 루돌프섬에서 이륙하여 극점 부근 부빙에 착륙한 뒤, 그곳에 기지를 설치할 임무를 띤 네 사람을 남겨 놓았다. 책임자인 이반 파파닌, 해양학자 이반 쉬르초프, 지구물리학자 구에니 페도로프, 무전기사 에르네스트 크렌켈이 그들이었다. 9개월 동안 기지는 하루에 수킬로미터씩 남쪽으로 이동했다. 1938년 2월 말, 그린란드 동쪽 해안으로 귀환한 그들은 수심 측정 자료와 해양학, 기상학에 관련한 귀중한 정보를 가져왔다.

SP2팀, SP3팀을 지휘한 미하일 소모프, A. F. 트레슈니코프는 1950년과 1951년에 이동관측소의 원리를 이용했다. 1973년부터 1981년까지 8년 동안 임무를 수행하면서 연인원 1,550명을 동원한 기지가 최장수 운영 기록을 가지고 있다. 이 기간 동안 소련과 미국은 자동화 기지를 세우기 시작했다.

핵잠수함 · 인공위성 · 쇄빙선, 극지 탐험의 효율성을 높인 새로운 수단

1958년 9월, 북극해를 99시간에 횡단한 미국의 노틸러스호가 북극 탐험의 새로운 시대를 개척했다. 6개월 후, 역시 미국의 스케이트호가 북극점 수면 위로 부상했다. 1962년에는 구소련 레닌스키 콤소몰레트호가 북극점에 도달했고, 1971년에는 영국의 드레드노트호가 북극해 횡단에 성공했다. 이러한 잠수함 탐사에 따른 연구성과는 거의 보고되지 않았다— 수심 따위 몇 가지 정보는 공표되었다. 실제로 북극의 두터운 빙하는 위성에게 탐지되는 것을 막아 주며, 계속되는 빙하의 충돌에서 발생하는 소음이 잠수함 탐지작업을 방해하기 때문에 이 지역은 군사상의 비밀작전을 수행하기 위한 최적의 장소가 될 수 있다.

미젝스(MIzex, 빙해지역 경계실험 Marginal Ice Zone Experiment의 약자)라는 다국간 협동연구가 진행되기도 했다. 미젝스는 그린란드 해역을 중심으로 빙하, 대기, 해양 사이의 상호작용을 밝히려고 애썼다.

1977년에 선박이 최초로 북극점에 도달했다. 이 배는 세계에서 가장 강력한 핵 쇄빙선인 아르크티카호였다. 이듬해 아르크티카호의 자매선인 시비르호가 화물선을 호송하면서 시베리아 섬들을 연결하는 북쪽 항로를 개척했다. 이제 새로운 해상로의 이용이 가능하게 된 셈이었다.

금세기 초엽의 탐험가들

영국인 월리 허버트는 세 명의 동료와 개썰매로 북극해 횡단을 결심했다. 허버트는 모험과 과학적 발견, 두 가지를 동시에 추구했다. 알래스카의 최북단

배로곶에서 북극을 경유하여 스피츠베르겐까지 이르는 횡단은 1968년 2월에서 1969년 5월까지 계속되었다. 이 여정은 직선 최단거리로 3,500km라고 계산되었으나, 우회해야 하는 빙구를 감안한다면 그들이 주파한 실제 거리는 6,000km였을 것이다. 여름에는 이동하는 부빙 때문에, 겨울에는 혹한과 어둠 때문에 탐험대는 16개월의 절반 가량은 전진할 수 없었다. 그동안 부빙은 실질적인 표류기지가 되어 주었고, 네 사람은 대기, 물, 얼음에 관한 다양한 연구와 관찰을 진행할 수 있었다.

1959년 3월, 미국 핵잠수함 스케이트호가 북극 수면 위로 떠올랐다. 부상 전에 스케이트호는 측심기를 사용해 얼음의 두께를 측정했다.

북극점에 대한 계속되는 공격

바다나 산처럼, 극지방은 모험을 즐기는 사람들의 관심을 끌었고 이들이 몰려들어 극지 도전은 더욱더 활기를 띠게 되었다. 이제는 비행기가 보급품을 공급해 주었고, 위급한 경우에는 구조대의 역할도 맡았다.

1978년, 일본의 등반가 나오메 우에무라가 17마리의 개들이 끄는 썰매를 타고 단독으로 북극 탐험을 시도했다. 그를 도와준 것은 5회에 걸쳐 물자를 보급해 준 오터 쌍발기 한 대뿐이었다. 그는 3월 6일에 컬럼비아곶을 출발해서 4월 29일 북극점에 도달했다. 지도상의 거리로 770km인 이번 탐험에 우에무라는 58일을 소요했다. 곳곳에 산재한 빙구들을 우회해야 했으므로 예상보다 훨씬 오랜 시간이 걸렸던 것이다.

이듬해, 구소련 탐험대가 더욱 어려운 탐험을 시도했다. 목적지는 마찬가지로 북극점이었지만 이번에는 뉴시베리아 군도 북동부에 위치한 헨리에타섬을 출발하는 1,500km의 대장정이었다. 디미티리 스파로가 지휘하는 여섯 명의 대원들은 개와 썰매의 도움 없이 45kg 나가는 배낭을 각자 등에 짊어졌다. 1979년 3월 16일에 스키를 타고 출발한 그들은 76일 만에 도달했다. 5월 말, 곳곳에 얼음이 녹아 어려움이 많이 따르는 계절이었다.

1986년, 두 탐험대가 북극점을 향해 컬럼비아곶에서 출발했다. 미국인 윌 스테거는 도중에 보급품을 지급받지

북극에 도달한 최초의 프랑스 작가 장 루이 에티엔은 극지방 적응 훈련을 받으면서 면밀하게 원정을 준비했다.

않고 피어리의 여행로를 되밟아 갈 작정이었다. 남자대원 다섯 명과 여자대원 한 명으로 구성된 스테거 탐험대는 개썰매를 끌고 3월 8일 출발하여 5월 1일 극점에 도달했다. 피어리가 주장했던 36일보다 20일 더 많은 56일에 걸친 대장정이었다.

프랑스 사람 장 루이 에티엔은 3월 9일 극점으로 혼자 출발했다. 그는 스키로 50kg에 이르는 썰매를 끌면서 2주에 한 번씩 비행기로 보급품을 받았다. 중간에 스테거 탐험대와 마주치기도 했지만, 그는 계속 행군했고 마침내 5월 11일 북극점에 도달했다.

미국과 러시아 양대국의 수중에 놓인 북극, 전략적 기지 그리고 경제적 요충지

미국과 러시아는 한편으로는 베링해, 다른 편으로는 프람해와 바렌츠해 등의 해협을 장악하고 있다. 그들은 그 지역의 광대한 천연자원을 개발했는데, 알래스카 북부 해안인 프루도만의 유전과 극권에 근접한 우렌고예의 시베리아산 천연가스 등을 예로 들 수 있다.

오늘날에는 북서항로보다 북동항로가 더 광범위하게 이용되고 있다. 세계 최대 규모의 쇄빙선을 확보하고 있는 러시아가 단독으로 처리하는 화물량만 해도 연간 400만 톤에 달하며 이로써 시베리아 지방은 경제적, 전략적으로 우위를 점하게 되었다.

그러나 개발은 환경과 북극 주민들의 생활에 악영향을 미칠 수 있다. 무엇보다 남극에서 행한 것과 마찬가지로, 러시아와 서방국가들의 긴밀한 협조 아래 북극에 대한 공동연구가 선행되어야 한다. 탈냉전 시대가 도래했으므로, 효율적인 협력관계를 바탕으로 공동연구가 수행될 수 있는 토대가 충분히 마련되었다고 볼 수 있다.

7만 5,000마력의 핵엔진으로 추진되는 2만 톤 급 쇄빙선 아르크티카호는 1977년 8월 9일 무르만스크를 출발했다. 아르크티카호는 노바야젬랴 북쪽을 지나 첼류스킨곶을 거쳐서 곧바로 북쪽으로 전진하여 8월 17일 극점에 도달했다. 헬리콥터 두 대의 안내를 받은 아르크티카호는 몇 년 동안 얼어붙어 있는 지역을 통과했는데, 항진속도는 2노트(시간당 3.7km) 미만이었다. 북동항로나 북서항로가 아닌 다른 항로를 통해서도 북극해를 운항할 수 있음을 증명한 아르크티카호는 8월 23일 무르만스크로 귀항했다.

제2차 세계대전이 끝난 뒤 미해군은 남극에서 항공사진을 촬영한다

1946년, 노련한 극지 탐험가 버드 제독이 하이점프(Highjump) 작전에 착수했다. 여섯 대의 특수 항공기를 탑재한 항공모함 한 척과 여러 척의 쇄빙선, 그리고 수많은 보조선박들과 4,000명의 인원이 동원된 남극 탐험사상 가장 큰 규모의 탐험대가 투입되었다. 많은 사진이 촬영되었지만 지상의 표준점이 불명확했기 때문에 지도 제작에는 크게 도움이 되지 못했다.

1947년부터 1948년 사이에 하이점프 작전의 일환으로 개시된 윈드밀(Windmill) 작전으로 남극에 대한 최초의 지도들이 완성되었다. 지도에는 아델리 랜드 서해안의 일부 지역도 포함되어 있다. 10년 후에 소련은 이곳에 미르니 기지를 건설했다.

극지방에 설치된 기지에게 가장 위험한 적은 화재이다. 1952년 포르마르탱에 불어닥친 폭풍설에 불이 마구 번져 나갔다. 다행히 대원들은 안전했지만 두 손 놓고 재앙을 바라볼 수밖에 없었다. 30년대의 버드, 최근에 구소련 탐험대도 이와 같은 쓰라린 경험을 맛보았다.

프랑스 최초의 기지, 아델리 랜드

1947년, 폴 에밀 빅토르가 정부로부터 자금을 지원받아 그린란드로 출발할 준비를 하고 있었다. 그때 이브 발레트, 로베르 포미에, 자크 앙드레 마르탱 등 세 명의 젊은 탐험가들이 빅토르에게 아델리 랜드를 탐험하자고 제의해 왔다. 그들의 계획에 매료된 빅토르는 여러 경로로 노력을 기울여 추가지원금을 보조받을 수 있었다. 이렇게 해서 프랑스 극지 탐험대가 탄생했다.

극지 탐험에는 무엇보다 마땅한 선박이 필요하다. 빅토르는 캘리포니아에서 탐험에 적합한 배를 발견하고, 배의 이름을 함장 샤르코라고 명명했다. 프랑스 해군의 감독하에 생말로에서 출항준비를 갖춘 함장 샤르코호의 선장으로는 막스 두케가 임명되었다.

1949년 12월 말, 함장 샤르코호는 호바트에서 남쪽을 향해 선수를 잡았다. 항해 1주일 뒤, 수평선 저쪽으로 강렬한 백광으로 번쩍이는 물체가 보였다. 부빙이었다.

2주일 동안 얼음과 악전고투 끝에 함장 샤르코호는 데쿠베르트곶 가까운 곳에 닻을 내릴 수 있었고, 앙드레

루아타르가 지휘하는 11명의 대원으로 구성된 탐험대를 상륙시켰다. 탐험대는 포르마르탱 기지 — 이 기지는 남극을 횡단하다가 목숨을 잃은 자크 앙드레 마르탱을 기념하여 이름붙였다 — 를 세우고 그곳에서 겨울을 보냈다. 탐험대는 아델리 랜드의 지도를 작성하는 일에 착수했는데, 봄에는 황제펭귄의 중요 서식지로 알려진 푸앙트제올로지를 발견하기도 했다.

1950년, 함장 샤르코호는 2차 탐험대를 포르마르탱에 내려놓았다. 해군 소령 미셸 바레가 지휘하는 탐험대는 17명의 대원으로 구성되었는데, 이들은 지구물리학 등에 관련한 자연과학적 연구를 심화시키는 임무를 띠고 있었다. 탐험대에는 베게너와 함께 그린란드에서 과학적 탐사활동을 벌였던 뢰베, 국제 지구관측년 행사를 주관할 베르트랑 앵베르 등이 참가했다.

이번 탐사에서 피에르 마요는 자남극점의 위치를 결정했다. 1951년 겨울은 포르마르탱 기지에서 보낸 마지막 겨울이었다. 이듬해 1월 23일에 발생한 화재로 기지가 삽시에 소실되고 말았던 것이다.

그후 프랑스 기지들은 포르마르탱 서쪽에 위치한 푸앙트제올로지에 들어섰다. 마리오 마레가 지휘한 1952년의 3차 탐험에서 장 리볼리에 박사와 조류학자 장 프레보는 황제펭귄에 관한 중요한 연구를 수행했다.

황제펭귄의 수는 약 40만 마리로 추정되지만, 1986년 웨들해 동쪽 해안에서처럼 또 다른 펭귄 서식지가 발견될 가능성도 있다.

노르웨이, 스웨덴, 영국, 오스트레일리아도 남극기지 건설에 참여하다

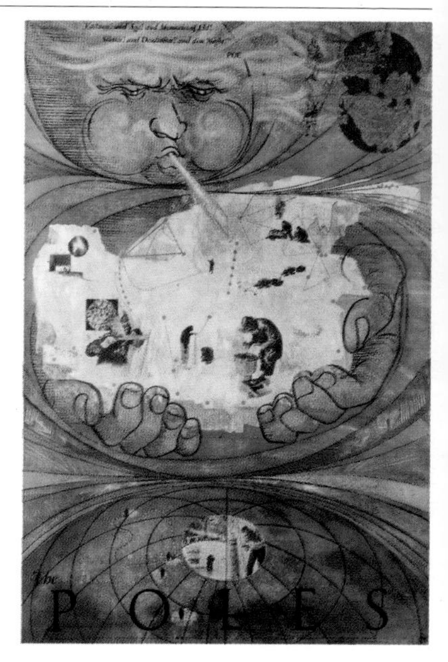

노르웨이, 스웨덴, 영국의 과학자들로 구성된 다국적 탐험대는 아델리 랜드에서 4,500km 떨어진 남극대륙 대서양 연안에 위치한 모드하임에서 두 차례 겨울을 보냈다. 존 제버의 지휘하에 탐험대는 기상학, 지질학, 빙하학, 인공지진 발파에 관한 다양한 연구를 수행했다. 이 다국적 탐험대의 연구성과는 훗날 학자들의 참고자료로 자주 이용되었다.

1954년, 오스트레일리아인은 더글러스 모슨 경의 극지방 탐험 전통을 새롭게 계승하기로 결의하고, 필립 로를 대장으로 오스트레일리아 국립 남극 조사탐험대(ANARE)를 창설했다. 남극 조사탐험대는 길이 700km, 너비 300km에 달하는 램버트 빙하 부근의 맥 로버트슨 랜드에 기지를 건설하고 모슨을 기념하여 기지의 이름을 모슨이라고 불렀다.

국제 지구관측년을 맞이하여 12개국은 각국의 관찰기록을 종합했다

국제 지구관측년(International Geophysical Year, 1957~1958)을 통해 극지방 탐사에 참여한 여러 나라에서 수집한 다양한 정보를 체계적으로 수집할 수 있었다. 더 이상 과학자들은 혼자 고립되어 문제를 안고 씨름하지 않아도 되었다. 빙하학, 기상학 등 여러 분야에서 정보교환이 활발히 이루어졌던 것이다.

전리층 연구를 위한 위원회 결성에 이어, 시드니 채프먼과 마르셀 니콜레와 같은 지구물리학자들이 주축이 되어 국제 과학 연합위원회(ICSU)가 구성되었다. 이 기구는 1957년 7월부터 1958년 12월까지 1년 반 동안 국제적인 공동연구를 주도했다. 이 시기는 태양의 흑점활동이 가장 활발했던 기간이다.

국제 지구관측년 기간에 최초로 인공위성(1957년 10월의 스푸트니크호와 1958년 1월의 익스플로러 1호)이 발사되었다. 그러나 세계 각국의 관심은 남극에 쏠려 있었다. 12개 국가가 48개의 기지를 건설했으며, 특히, 프랑스를 포함한 4개국은 살인적인 추위와 위험이 도사리는 내륙지역으로 진출했다.

국제 지구관측년 포스터(왼쪽). 국제 지구관측년은 무전기로 매일 정보를 교환하던 각국 남극기지 간의 국제적 협력정신을 강화시켰다. 아래 사진은 아델리 랜드 3차 탐험의 지휘관인 가스통 루이용과 국제 지구관측년 탐험대장 베르트랑 앵베르, 기술자인 M. 르나르이다. 이들은 폭풍설에 휘말려 만년설에 추락한 헬리콥터 조종사를 발견한 뒤 대책을 논의하고 있다. 헬리콥터의 잔해를 찾았을 때 프랑스인은 즉시 구조요청을 보냈고, 이를 청취한 구소련의 극지방 파견 선박 오브호는 비행기를 프랑스 기지 뒤몽 뒤르빌로 보내겠다고 연락했다.

1956년에서 1959년까지 60명의 연구자들과 기술자들이 참여하여 아델리 랜드에 두 곳의 현대식 실험실을 개설했다

프랑스 과학협회는 국제 지구관측년의 사업을 위해 피에르 르제이, 장 쿨롱, 앙드레 당종을 공동위원장으로 하는 국가위원회를 창설했다. 특히, 베르트랑 앵베르가 책임을 맡은 '남극계획'은 프랑스 극지방 탐험대를 지원할 수 있는 재원 마련에 부심했다.

이리하여 모드하임 탐험에도 이용된 적이 있는, 구토른 야콥슨을 함장으로 하는 노르셀호는 극지방에 인력과 보급품을 원활히 운송해 주었음은 물론, 해양학 연구에도 중요한 역할을 담당했다.

3차에 걸쳐 탐험대가 조직되었다. 그린란드 탐험을 경험했던 로베르 기야르가 지휘한 1차 탐험대의 임무는 두 개의 기지를 건설하는 것이었다. 1956년 봄 남극대륙에서 보낸 석 달 동안 그는 남극점 남쪽 317km, 고도 2,400m 지점에 샤르코 기지를 세웠다. 2,500km 떨어진 곳으로부터 크레바스와 사스트루기(sastrugi, 바람으로 형성된 파도치듯 울퉁불퉁한 설원)를 뚫고 달려온 트랙터가 보급품과 장비를 전달해 주었다. 베르트랑 앵베르가 지휘한 2차 탐험대는

1957년 12월에 출발하여 샤르코 기지 개관식을 거행했다. 자크 뒤부와, 클로드 로리위스, 롤랑 슐리히 등이 2월부터 11월까지 그곳에서 9개월을 보냈다.

르네 가르시아, 기 리쿠, 앙리 라르지에르가 참여하고 그린란드 탐험을 지휘했던 가스통 루이용이 이끈 3차 탐험도 1 · 2차 탐험과 유사하게 조직되었다. 겨울이 끝나 갈 무렵, 폭풍설에 실종된 기상학자 앙드레 프뤼돔이 죽었다는 소식이 전해졌다. 탐험대는 슬픔에 잠겼다.

국제 지구관측년인 1958년 3월, 미국 인공위성이 훌륭한 성과를 거두었다

익스플로러 3호가 보내 온 정보를 분석한 물리학자 제임스 반 알렌은, 고도 6만km에 이르는 지구자기장 안에 갇혀 있는 고에너지 미립자의 띠가 지구를 둘러싸고 있다는 사실을 발견했다.

한편, 오로라의 활동이 가장 활발한 지역에 위치한 뒤몽 뒤르빌 같은 지상기지에서는 자기폭풍을 면밀히 분석하고 관찰했다. 과학자들은 인공위성에서 송신해 온 자료를 이용해 지구자기장이 세력을 미치는 공간이라 할 수 있는 자기권의 지도를 작성하기도 했다.

1956년, 남극점을 제외한 남극대륙의 다른 지역은 아직도 미탐험 지역이었다

아델리 랜드에 주둔하는 프랑스 탐험대가 얼음 두께가 3,000m에 달하는 남극에서 남북으로 500km에 걸쳐 75회의 인공지진 발파를 시도했다. 같은 시기에 비비언 푹스 경과 에베레스트산을 정복한 에드먼드 힐러리가 이끄는 영국 탐험대가 웨들해에서 맥머도만까지 대륙 전역을 횡단하면서 특히 얼음 두께가 2,800m인 극지점에서 연속 인공지진 발파를 시도했으며 미국인, 구소련인, 일본인도 동일한 작업을 행했다.

60년대에 미국인 애머리 H. 웨이트는 얼음의 두께를 측정하기 위해 비행기 고도계를 응용했다. 비행탐사대가 남극대륙을 샅샅이 누비고 다녔다. 고든 로빈이 지휘하는 영국

오랫동안 오로라는 하나의 신비였다. 사진은 핼리 지질학 관측소에서 촬영한 것이다. 18세기에 핼리는 오로라가 자기폭풍과 관계가 있을 것이라고 생각했다. 오로라는 지상 100km에서 1,000km 사이의 고도에 존재하는 이온 가스에서 발생하는 전기방전 때문에 나타난다고 알려져 있다.

탐사대는 동쪽, 미국 탐사대는 서쪽과 로스 빙붕, 서독 탐험대는 웨들해 끝에 위치한 필히너 빙붕과 론 빙붕으로 향했다. 케임브리지에 있는 스콧 극지연구소는 이 측량의 결과를 가지고 1983년 최초의 빙하지도를 완성했다.

남극의 얼음은 지구상에 존재하는 민물 총량의 70%를 차지한다

1,400만km²의 표면과 2,160m의 평균 두께를 가진 남극의 얼음이 녹는다면 바다의 수위는 70m가 올라갈 것이다. 빗물이 지면에 스며들어 강에 합류하는 온대지역과 달리 극지방에서는 지난 수천 년 동안 눈이 빙원 위에 쌓여 왔다. 이 거대한

얼음덩어리는 1년에 10m라는 매우 느린 속도로 해안을 향하여 흘러간다.

극지의 빙원은 지구의 기후를 이해할 수 있는 귀중한 자료로 이용된다. 실험실에서 얼음 견본을 분석해 보면, 강설시의 기온과 대기가스량을 계산할 수 있기 때문이다. 얼음 견본 가운데 가장 유명한 것은 보스토크 지하 244m에서 채취한 것으로 로리위스와 코틀랴코프가 지휘한 프랑스 - 구소련 합동 연구팀은 이 자료를 여러 해 동안 연구했다. 이 견본은 20만 년 전의 지구 기후에 대한 정보도 간직하고 있었다.

수천 년 동안 사람이 살지 않았던 빙원, 오늘날 남극에는 1,000명의 사람이 거주한다

오늘날 남극에는 17개국에서 49개의 기지를 운영하고 있는데, 여름에는 사람들로 북적거릴 정도가 되었다. 균형 있는 남극 탐사를 유도하기 위한 조정기관으로 남극탐험 과학위원회(SCAR)가 1959년 발족되었다. 영국의 R. M. 로스 박사가 1990년부터 1994년까지 남극탐험 과학위원회의 대표로 활동했다.

끊이지 않는 도전, 극지방에 대한 단독 탐험이 계속적으로 시도되었다

최근 두 탐험대가 스콧과 아문센의 발자취를 따라 남극 도전을 시도했다. 세 영국인의 도전은 1985년 11월 3일에 시작되었고 1986년 1월 11일, 그들은 아문센 - 스콧 기지의 미국인에게

스콧 탐험 74주년을 기념하기 위해 로저 스완, 로저 미어, 가레스 우드가 스콧의 발자취를 따라 맥머도 기지에서 출발했다. 그들은 각자 150kg쯤 되는 짐을 썰매에 싣고 71일 동안 행군했다. 그들은 로스 빙붕과 버드모어 빙하를 지났고 고원을 지나 마침내 극점에 도달할 수 있었다. 그들을 기다리고 있던 것은 아문센의 텐트가 아니라, 미국 탐험대의 아문센 - 스콧 기지였다.

스콧의 막사는 영웅적 모험시대에 대한 꺼지지 않는 찬사이며, 남극 탐사를 목적으로 과학위원회에 참여한 각 회원국이 존경을 표시해 마땅한 인류 공동의 문화유산이다.

환영을 받았다. 1986년에는 아문센의 탐험로를 좇아 두 명의 빙하학자가 남극점에 도전했다.

극지방의 미래

우리의 지구는 병들었는가? 수십년 동안 이루어진 산업의 급격한 발달로 이산화탄소, 메탄, 프레온 가스 등이 마구 방출되었고, 온실효과로 지구 기후에 커다란 변화가 발생하고 있다. 사실상 지구 기온이 몇 도 상승하느냐에 따라 농업 생산에 중대한 변화가 따를 수 있고, 해수면 상승이 가속되어 해안지역이 물 속에 잠겨 버릴 수도 있다. 또한 오존층 파괴가 계속될 경우 생태계의 유기적 균형에 영향을 미칠 수도 있다. 이러한 현상을 이해하기 위해서는 해빙의 점진적인 축소를 감시하고 남극과 그린란드의 만년설이 증가하는지 혹은 감소하는지를 알아야만 한다. 이제는 남극에서 국제적 협력을 증진하고 그것을 북극으로 확대해야 할 때이다.

기록과 증언

극지방, 그 얼어붙은 불모지에 도전한
위대한 탐험가들의 체험담.
극지방 탐험사를 통해 살펴보는
극지방의 어제와 오늘.

남극권 통과

1840년 1월 18일, 아스트로라브호와 젤레호는 64번째 위선에 도달했다. 배는 빙산에 둘러싸여 있었지만, 바람은 잤고 바다는 호수처럼 잔잔했다. 두 척의 소군함이 막 극권을 통과했는데, 늦은 시간이었지만 하늘에 높게 걸려 있는 태양은 멀리 있는 육지를 분간할 수 있게 해주었다. 선상에서는 색다른 축제를 준비하고 있었다.

1838년 2월 6일, 부빙 위에서 급수중인 아스트로라브호.

18일, 우리 선원들은 남극권 통과를 기념하기 위해서 선원들이 적도를 통과할 때 습관적으로 치르던 것과 유사한 축제를 생각해 냈다. 저녁에, 적도시조의 의형제 남극시조가 함장 뒤르빌에게 한 통의 편지를 띄웠다. 남극권을 통과하는 다음날 자신이 도착함을 알리기 위한 것이었다. 적도제를 흉내내 치른 남극권 통과행사는 빵과 포도주를 나누는 성체배령이었다.

남극시조가 보낸 편지의 내용은 다음과 같았다.

"뒤몽 뒤르빌 함장에게

남극 14대 후손의 이름으로 경의와 우정을 보냅니다. 아스트로라브호는 남극 제국 입구에 서 있는 두번째 배라오. 나는 당신의 대담성과 끈기에 뜨거운 경의를 표하며, 당신과 협상하는 것이 곧 나의 의무라고 믿으오. 나의 항복에 부여되는 어떤 이름도 나에게는 여전히 영광스러울 것이기 때문이오.

2년 전, 당신이 어느 누구도 알지 못했던 비밀들을 밝혀 내고자 했을 때, 나는 형제인 적도시조에게 전갈을 받았는데 그것은 당신이 그의 제국에 대해 상세히 알게 된다는 사실을 질투하여 내게 당신의 운명을 방해하라는 간청이었소. 그래서 나는 당신을 멈추게 했는데, 당신은 그 일의 전말을 잘 알고 있으리라 믿고 있소. 어쨌든 당신에 대한 기억을 간직하고자, 나는 당신 배의 뱃머리 모양을 본떠 얼음조각을 만들었다오. 지금 그 얼음조각은 펭귀노폴리스에 있는 내 고물 캐비닛 속에 잘 보관되어 있소.

올 겨울은 그다지 혹독하지 않았고

선상의 축제. 남극 시조의 밀사를 접대하는 뒤몽 뒤르빌 함장.

그 결과 빙하 위로 이동하는 것은 그리 힘들지 않으며 당신이 내 나라로 들어오는 것을 방해할 방해물은 깨끗이 사라졌소. 우리 국경 근처에 두껍게 쌓여 있는 얼음조각을 두려워하지 마시오. 얼음조각들은 내가 당신에게 보내는 자그마한 격려의 표시일 따름이며, 내가 사람들에게 공공연히 내보여 나의 힘을 과시하는 증거일 뿐이라오.

나의 제국 안으로 당신이 입성하는 것을 당연히 환영하지만, 또한 당신은 우리 법률이 정한 규약에 따라야 함을 깊이 명심하시오. 내 형제, 적도시조가 당신에게 세례를 주었으니, 당신은 이미 나와 일체가 되었다고 할 수 있소. 또한 당신은 적도 세례를 통해 당신을 정화시켰고, 내 나라에 들어오기 위해서, 빵과 포도주를 나누어 성체배령을 치렀으므로, 나와 일체가 될 것이 분명하오.

그리고 당신에게 미리 알려 두고 싶은 사실이 있소. 술저장고에 재고가 별로 넉넉하지가 않다는 사실이오. 당신을 위해 축하주를 미리미리 비축해 두었건만, 거의 고갈되었기 때문에 아껴 써야 할 것 같소.

어쨌든 내일 월요일에 신하들을 거느리고 제국 국경선으로 나가 당신을 접대하겠소.

회교연도 1893년, 지월(至月) 19일 일요일 오늘은, 위도 90도 00분 00초, 경도 00도 00분 00초에 있는 펭귀노폴리스에서 우리 제국을 창건한 날이라오.

남극에서
남극시조

원문과 다름없음
페트로포필 1대 공사, 뒤몽 뒤르빌
《일기》

쥘 베른과 존 프랭클린

10년 동안 북극은 비밀을 간직했다. 불굴의 탐험가 존 프랭클린의 비극적인 종말은 1859년 2월이 되어서야 알려졌다. 쥘 베른은 해터러스 선장의 모험을 그린 소설 《북극점에 선 영국인》에서 이 사건을 다루고 있다.

존 프랭클린 제독의 참사

포워드호를 이용해 제임스 로스 해협을 횡단하는 일에는 많은 어려움이 뒤따랐다. 얼음을 돌파하기 위해 종종 톱과 폭약이 사용되기도 했다. 탐험대는 극도로 피곤한 상태였지만, 다행히 추위는 그런대로 견딜만 했다. 비슷한 시기에 제임스 로스가 경험했던 기온보다 30도 정도 더 높았던 것이다.

토요일, 포워드호는 북극 바다에 떠 있는 여러 섬들 중 하나인 킹윌리엄섬 북극단 펠릭스곶을 끼고 돌았다.

그때 일행은 매우 강렬하고 고통스러운 인상을 받았다. 그들은 해안을 따라가면서 이 섬에 대해 호기심 어린 듯한 슬픈 시선을 던졌다.

킹윌리엄섬, 근대에 들어 가장 엄청난 비극이 일어났던 바로 그 현장이 그들 눈앞에 펼쳐져 있었다. 그곳에서 서쪽으로 몇 킬로미터 떨어진 곳에서 에레버스호와 테러호가 영원히 실종되고 말았다.

포워드호의 선원들은 프랭클린 제독과 그의 탐험대를 구출하고 그 위대한 항해를 추적하기 위해 사람들이 벌였던 시도들을 잘 알고 있었지만, 가슴 아픈 참사의 자세한 내막은 알고 있지 못했다. 박사가 지도를 펼쳐 놓고 항로를 연구하는 동안 벨, 볼턴, 심프슨 같은 몇몇 선원들이 그에게 다가왔고, 그들 사이에 대화가 시작되었다. 뒤이어 다른 선원들도 색다른 호기심이 발동했는지 그들 주위로 몰려들었다. 그동안 두대박이 소형 범선 포워드호는 매우 빠른 속도로 전진했고, 킹윌리엄섬의 해안풍경은 마치 거대한 파노라마처럼 선원들의 눈앞을 스쳐 지나갔다.

그때 해터러스가 큰 걸음으로 갑판

1859년 2월, 선장 매클린톡과 그의 부하들은 킹윌리엄섬의 돌무덤에서 12년 전 프랭클린 탐험대 대원들이 남긴 전갈을 발견했다.

위에 올라섰다. 많은 선원들이 갑판 위의 박사를 둘러싸고 이야기꽃을 피우고 있었다. 박사는 선원들이 품고 있는 킹윌리엄섬에서 일어났던 비극에 관한 궁금증을 이해하고 있었다. 그는 다음과 같은 말로 존슨이 시작했던 대화를 이어 나갔다.

"여러분, 프랭클린의 시작은 어떠했습니까? 그는 쿡과 넬슨처럼 소년선원 생활을 겪었고 해양탐험에다 그의 젊음을 바쳤습니다. 그러던 그가 1845년 북서항로를 찾기 위해 출항했습니다. 1840년 동료인 제임스 로스가 남극 탐험에 사용했던 에레버스호와 테러호를 이끌고 말입니다. 프랭클린이 승선한 에레버스호에는 70명의 일행들이 타고 있었고, 테러호에는 크로지어 선장을 위시해 모두 60여 명이 타고 있었습니다. 그러나 에레버스호와 테러호의 승무원들은 냉혹한 운명을 맞이했고 끝내 그들의 조국으로 돌아갈 수 없었습니다. 그러나 우리는 여러 만과 곶, 해협과 운하, 그리고 섬에서 탐험에 참여했던 사람들의 위대한 이름을 발견할 수 있습니다. 모두 138명이나 되는 사람들의 이름을! 프랭클린이 디스코섬에서 마지막으로 쓴 편지는 1845년 7월 12일자로 되어 있습니다. '오늘밤 우리는 랭카스터 해협을 향해 출범하려 한다.'고 그는 적어 놓았습니다. 디스코섬에서 출발한 후에 그에게 무슨 일이 일어난 것일까요? 포경선 프린스 오브 웨일스호와 엔터프라이즈호의 선장들이 멜빌만에서 두 선박을 보았는데 그것이 그들의 최후였습니다. 그날 이후 그들을 본 사람은 아무도 없었던 것입니다. 우리가 서쪽을 향해 간다면 프랭클린 탐험대의 항로를 따라잡을 수 있을 것입니다. 그는 랭카스터 해협과 배로곶을 지나 비치섬에 도착했고 1845년에서 1846년의 겨울을 그곳에서 보냈던 것입니다."

"프랭클린 탐험대에 관한 상세한 사항은 도대체 어떻게 알 수 있었습니까?"

목수 벨이 물었다.

"1850년에 활동을 벌였던 오스틴 수색대 덕분입니다. 오스틴 수색대는 킹윌리엄섬에서 세 기의 돌무덤을 발견했는데, 그 무덤들에는 프랭클린의 탐험대원 중 세 명이 매장되어 있었습니다. 그후 폭스호의 해군 대령 홉슨이 발견한 1848년 4월 25일자 기록에서도 이 같은 사실이 확인되었습니다. 자료를 검토해 보면, 겨울이 끝날 무렵 에레버스호와 테러호가 웰링턴 해협 77도선까지 거슬러 올라갔음을 알 수 있습니다. 아마도

그들은 통행이 불가능했던 북쪽 항로로 계속 항해하는 대신 남쪽으로 돌아갔던 것이 아닌가 생각드는군요."

"그것이 그들의 마지막이었군! 북쪽으로 갔으면 구조되었을 텐데."

누군가 심각한 어조로 말했다. 모두 돌아보았다. 선장이었다. 갑판 난간에 기대고 섰던 해터러스가 정곡을 찔렀던 것이다. 박사가 말을 이었다.

"프랭클린은 아메리카 대륙 해안에 도달하려고 했던 것 같습니다. 그러나 폭풍우가 이 불길한 항로에서 그를 덮쳤고, 1846년 9월 12일, 두 선박은 여기서 수마일 떨어진 펠릭스곶 북서쪽에서 빙하에 갇히고 맙니다. 그후 배들은 북북서를 향해 빅토리곶 끝까지 계속 밀려갔습니다. 1848년 4월 22일, 탐험대는 마침내 배를 포기했습니다. 그러면 지난 19개월 동안 무슨 일이 일어났던 것일까요? 그 불행한 사람들은 무엇을 했을까요? 아마도 그들은 주위를 경계하면서 구조요청을 보내기 위해 가능한 수단과 방법을 모두 동원했을 것입니다. 프랭클린 함장은 정열적인 사람이었으니까요! 가령 그가 성공하지 못했다면……."

"승무원들이 프랭클린을 배반했기 때문이 아닐까?"

선장의 공허한 목소리가 다시 끼여들었다. 이 말에 선원들은 시선을 들지 못했다.

"기록은 프랭클린 함장이 1847년 6월 11일 과로로 쓰러졌음을 알려 줍니다. 그를 추모합시다!"

이렇게 말하고 박사는 고개를 숙여 경의를 표했다. 선원들도 말없이 박사를 따랐다.

"지휘관을 잃은 이 불행한 사람들은 어떻게 되었을까요? 그들은 열 달 동안 배 위에 남아 있었습니다. 이때 생존자는 105명이었습니다. 이미 33명이나 죽은 것입니다. 크로지어 함장과 피츠제임스 함장은 빅토리곶 끝에 돌무덤을 하나 세워 그곳에 자신들의 마지막 기록을 남겨 놓았습니다. 여러분, 우리는 이 곶의 끝을 막 통과했습니다! 여러분 잘 보십시오. 아직도 돌무덤의 잔해를 찾아볼 수 있습니다. 그리고 에레버스만에서는 썰매 위에 놓인

H. M. S. hips Erebus and Terror
Wintered in the Ice in

28 of May 1847 Lat. 70°5' N Long. 98°23' W

Having wintered in 1846–7 at Beechey Island in Lat 74°43'28" N. Long 91°39'15" W after having ascended Wellington Channel to Lat 77° and returned by the West side of Cornwallis Island.

Commander.

Sir John Franklin commanding the Expedition.

All well

WHOEVER finds this paper is requested to forward it to the Secretary of the Admiralty, London, *with a note of the time and place at which it was found:* or, if more convenient, to deliver it for that purpose to the British Consul at the nearest Port.

QUINCONQUE trouvera ce papier est prié d'y marquer le tems et lieu ou il l'aura trouvé, et de le faire parvenir au plutot au Secretaire de l'Amirauté Britannique à Londres.

CUALQUIERA que hallare este Papel, se le suplica de enviarlo al Secretario del Almirantazgo, en Londrés, con una nota del tiempo y del lugar en donde se halló.

EEN ieder die dit Papier mogt vinden, wordt hiermede verzogt, om het zelve, ten spoedigste, te willen zenden aan den Heer Minister van de Marine der Nederlanden in 's Gravenhage, of wel aan den Secretaris der Britsche Admiraliteit, te London, en daar by te voegen eene Nota, inhoudende de tyd en de plaats alwaar dit Papier is gevonden geworden.

FINDEREN af dette Papiir ombedes, naar Leilighed gives, at sende samme til Admiralitets Secretairen i London, eller nærmeste Embedsmand i Danmark, Norge, eller Sverrig. Tiden og Stœdit hvor dette er fundet önskes venskabeligt paategnet.

WER diesen Zettel findet, wird hier-durch ersucht denselben an den Secretair des Admiralitets in London einzusenden, mit gefälliger angabe an welchen ort und zu welcher zeit er gefundet worden ist.

Party consisting of 2 Officers and 6 Men left the Ships on Monday 24th May 1847

Gm. Gore Lieut.
Chas. F. Des Voeux Mate.

London: John Murray, Albemarle Street. 1859.

탐험선 파편으로 만든 범선 한 척이 발견되었습니다. 은수저, 풍부한 양식, 초콜릿, 차, 종교서적 등도 그곳에 함께 있었습니다. 105명의 생존자들은 크로지어 함장의 지도 아래 그레이트피시강으로 출발했습니다. 그들은 어디까지 도달할 수 있었을까요? 그들은 허드슨만에 성공적으로 도달했을까요? 그들 중 몇 명이 살아남았을까요? 이후에 그들은 어떻게 되었을까요?"

"그들이 어떻게 되었는지 내가 알려 주겠소!"

해터러스 선장이 우렁찬 목소리로 말했다.

"그렇소. 그들은 허드슨만으로 향했고 몇 팀으로 나뉘었소. 물론 목적지는 남쪽이었소. 1854년에 작성된 래 박사의 편지는, 1850년에 에스키모들이 킹윌리엄에서 40명의 백인을 목격했음을 들려주고 있소. 피로와 고통으로 야위고 창백해진 그들은 기진맥진한 채 배를 끌고 있었소. 그후 그곳에서 30구의 시체가 발견되었고 인근 섬에서도 다섯 구의 시체가 발견되었는데, 어떤 시체는 반쯤 매장되어 있었지만, 다른 시체들은 묘지도 없이 버려진 채였소 또한 전복된 배 밑이나 텐트의 잔해 밑에서도 시체들이 발견되었소. 이 정보를 입수한 해군본부는 허드슨만 상사에게 가장 적합한 경험자를 보내 달라고 간청했소. 파견자들은 백강 하구까지, 몬트리올섬, 매코노치의 섬들, 오글레곶을 샅샅이 뒤졌소. 그러나 아무것도 발견할 수 없었던 것이오. 저 불행한 사람들은 동료의 시체를 먹으며 자신들의 삶을 연장시키다가 차례로 죽어 갔소. 그들의 남쪽 행로는 찢어진 시체들이 널부러져 있는 고행의 길일 따름이오 당신들은

어떤 프랭클린 탐험대 대원의 시체가, 1984년 북극의 얼음 속에서 138년 만에 발견되었다.

아직도 그들의 발자취를 따라가길 원합니까?"

해터러스의 떨리는 목소리와 열정적인 몸짓은 선원들을 감동시켰다. 그리하여 이 불길한 땅을 눈앞에 두고 감정이 극도로 격앙된 일행은 모두 한목소리가 되어 크게 외쳤다.

"북쪽으로! 북쪽으로! 자 북쪽으로! 구원과 영광이 그곳에 있기를! 북쪽으로! 하늘은 우리를 위해 열린다. 바람은 방향을 바꾼다. 길이 뚫려 있다. 선회를 준비하라!"

선상은 정위치를 잡기 위한 선원들의 바쁜 동작으로 한동안 분주했다. 빙해가 차츰 트이고 있었다. 포워드호는 빠르게 선회하며 매클린톡 해협을 향해 전진했다.

쥘 베른
《북극점에 선 영국인》

스콧의 마지막 편지

남극의 에번스 기지에는 커다란 나무십자가가 꽂혀 있다. 그리고 지구 반대편 런던의 대영박물관에는 로버트 팰콘 스콧의 일기가 진열되어 있다. 그의 일기는 1912년 3월 영웅적 생애를 마감하기 전에 영국 국민에게 쓴 스콧의 마지막 편지를 간직하고 있다.

재앙의 원인은 탐험대 조직의 미숙함에 있는 것이 아니라, 매순간 우리를 끈질기게 괴롭혔던 불운에 있다.

1. 1911년 3월, 식량과 장비를 운반할 조랑말의 일부를 잃었다. 결국 예정보다 출발이 늦을 수밖에 없었고, 게다가 보급품의 운송량도 줄여야 했다.

2. 여행 내내, 특히 위도 83도 지점에서 우리가 견뎌야 했던 지긋지긋한 폭풍우는 전진을 더디게 했다

3. 빙하 저지대에 깔린 부드러운 눈도 전진속도를 늦추었다.

우리는 이 운사나운 역경에 맞서 굳은 의지로 투쟁했고, 마침내 승리를 쟁취할 수 있었다. 그러나 식량의 초과지출이 문제였다.

남극점까지 1,300km의 여정 위에서처럼 고지대에서도 음식물과 의류, 그리고 연속된 창고들을 마련하면서 우리는 모든 점에서 완전한 만족을 느꼈다.

우리 팀은 좋은 상태에서 여유분의 식량을 갖고, 우리들 중에서 가장 강인하다고 믿었던 에번스의 놀랄 만한 확신 덕분에 버드모어 빙하에 다시 도달할 수 있었던 것이라고 생각한다.

좋은 날씨에 버드모어 빙하로 가는 일은 비교적 순탄했다. 그러나 우리가 돌아올 무렵에는 단 하루도 날씨가 좋은 적이 없었고, 우리 동료 중

아픈 사람이 발생했으므로 상황은 더욱 악화되고 말았다.

내가 지난번에 말했듯이, 우리는 매우 기복이 심한 빙하지역에서 추락했는데, 에드가 에번스가 뇌에 충격을 받았다. 그는 자연사했으며 그의 죽음에 겹쳐 겨울이 예상보다 빨리 왔으므로 우리는 더욱 처지고 말았다.

하지만 이 모든 것은 배리어에서 우리를 기다리고 있던 것과 비교가 되지 않았다. 우리의 확실한 후퇴를 위해 취해진 일련의 조치들이 적절했고 연중 이 시기에는 우리가 마주친 기온과 눈의 상태를 아무도 예측할 수 없었다는 점을 나는 새삼 확신했다. 위도 85도와 86도 사이 고지대의 기온은 영하 28℃와 영하 34℃ 사이였다. 위도 82도 지점, 고도 3,000m 이하 지대인 배리어의 날씨는 일반적으로 낮에는 영하 34℃, 밤에는 영하 44℃를 기록했다. 특히, 우리가 행군하는 낮에는 계속해서 맞바람이 불었다. 어떻게 보면 이 상황들은 갑작스럽게 일어났으며, 우리가 조난된 것은 그 원인을 규명하기가 불가능한 이 같은 예상치 못한 악천후가 발생했기 때문이다.

나는 어떤 사람도 이 마지막 달 동안 우리가 겪은 끔찍한 고통만큼 처절한 아픔을 체험한 적이 없었다고 생각한다. 그러나 우리의 동료 오츠가 아프지 않았더라면, 연료가 부족하지 않았더라면, 끝으로 우리가 보급품을 얻을 수 있으리라고 희망하고 있던 보급창고에서 20km 떨어진 지점에서 우리의 발목을 붙잡았던 폭풍우가 아니었더라면, 이 혹독한 기상조건을 극복해 내고 무사히 귀환할 수 있었을 것이라고 생각한다. 어떤 불운도 이 마지막 고통보다 더 괴롭지는 않을

것이다. 우리는 이틀분의 식량과 한 끼의 식사를 준비할 수 있을 만한 연료를 가진 채 원톤 저장고에서 20km 떨어진 지점에 도착했다. 4일 전부터 폭풍이 극성을 부렸기 때문에 우리는 텐트에 머물 수밖에 없었다.

우리는 약해졌다. 글쓰기도 무척 힘이 든다. 그러나 나는 이번 탐험을 결코 후회하지 않는다. 이 탐험으로 영국인이 끈기와 연대정신을 지니고 있으며, 그들이 옛날만큼이나 오늘날에도 용기를 가지고 죽음을 직시할 줄 안다는 사실을 증명할 수 있었기 때문이다.

우리는 위험을 극복했으며, 그 사실을 잘 알고 있다. 사태가 우리에게 불리하게 전개되더라도 우리는 불평하지 않고 신의 섭리에 경의를 표할 것이며, 끝까지 최선을 다할 것이다. 우리가 살아 남을 수 있다면, 나는 내 동료들의 용기와 불굴의 의지와 인내심을 자랑스레 전할 것이다.

로버트 팰콘 스콧

섀클턴의 승리담

어니스트 섀클턴은 남극 탐험 자금을 마련하기 위해 사업가 단체에게 막대한 돈을 융자받았다. 엔듀어런스호가 난파당했을 때, 사진 원판이 바닷물 속에 잠기고 말았는데, 탐험대와 동행한 사진사, 프랭크 헐리가 위험을 무릅쓰고 잠수해 원판을 구해 냈다. 사진의 인세수입을 담보로 해서 융자를 얻어냈기 때문이다. 이 사진들은 영국 케임브리지에 보관되어 있다.

남극에서 귀환한 섀클턴은 빚을 갚기 위해 공개강연을 개최했다.

곰(남극에는 곰이 살고 있지 않다)으로 변장한 샌드위치맨들이 남극 탐험 기록영화 공연을 선전하고 있다.

부빙 사이로 수로가 보인다(위).
얇은 얼음판을 뚫고 항해하는 엔듀어런스호 뒤로 항적이 길게 늘어서 있다(아래).

부빙군에 가로막혀 수로를 찾을 수 없다.
사진의 전경에 보이는 것은 부빙과 부빙이 맞부딪쳐 발생한 난빙대이다.

경위의(經緯儀)를 사용해 별의 고도를 관찰하는 워슬리(위).

탐험대의 기념사진. 첫번째 줄 왼쪽에서 세번째가 새클턴(왼쪽 위).

승무원들이 리츠(Ritz)라 불렀던 엔듀어런스호의 선실(왼쪽 끝).

얼음 위에 이글루를 세우고 개집으로 사용했다(왼쪽).

영웅들의 기록

1915년 10월
"이것이 엔듀어런스호의 끝이라니! 이제 배를 포기해야 해." 섀클턴이 말했다. 아무 말도 할 수 없었다. 선미가 깨어져 나가 그곳으로 폭포마냥 바닷물이 흘러 들어가는 모습을 멍하니 바라보았다.

프랭크 워슬리
《엔듀어런스호》

1916년 4월 24일
서로를 격려하며 우리는 자갈이 깔린 해변으로 제임스 케어드호를 밀고 나갔다. 그러고는 파도를 뚫고 배를 발진시켰다. 섀클턴과 다른 용맹한

탐험대의 사진사 프랭크 헐리(왼쪽). 오스트레일리아 태생인 그는 모슨과 함께 데니슨곶에서 겨울을 보낸 경험이 있었다.

28명의 대원들은 북쪽으로 천천히 표류하는 '얼음뗏목(부빙)' 위에서 6개월 동안 생활해야 했다(위). 부빙 위에 세운 그들의 텐트 앞에서 포즈를 취한 프랭크 헐리와 어니스트 섀클턴(아래). 바다표범 지방으로 난로에 불을 지필 수 있었다.

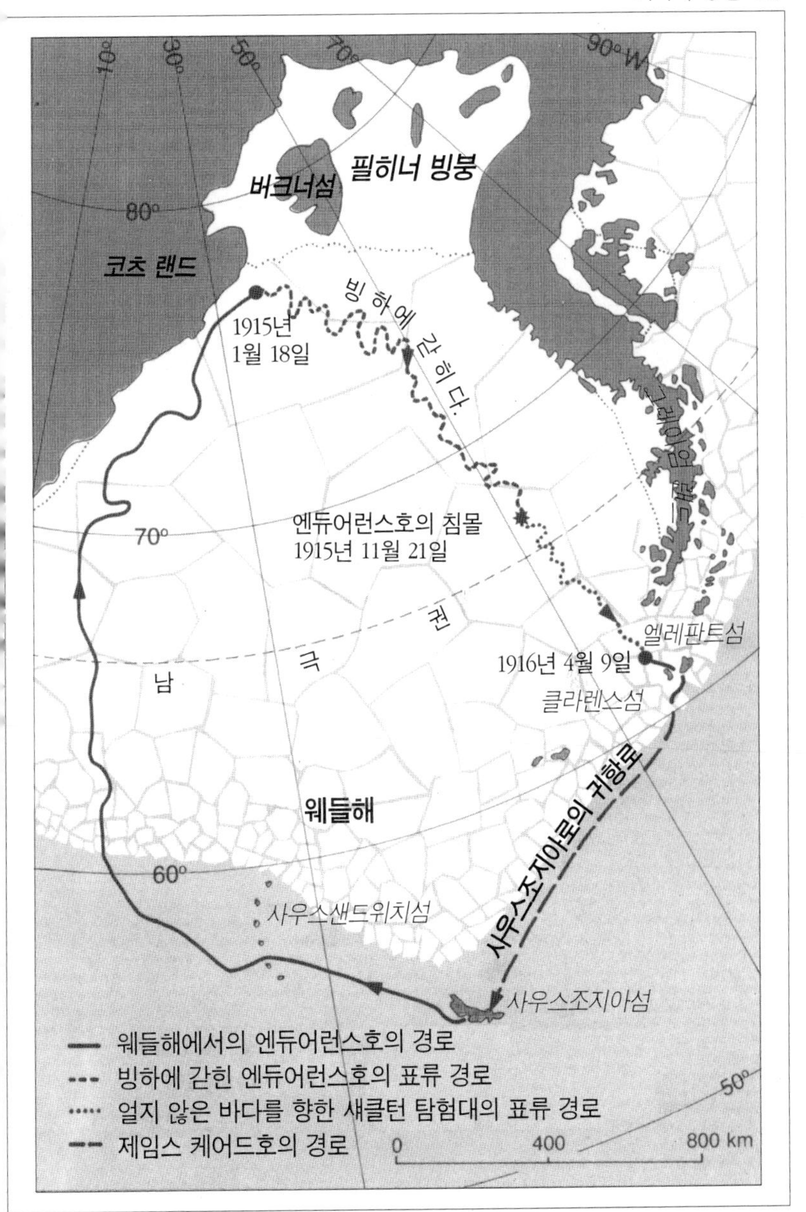

10°
30°
50°
70°
90°W
80°
필히너 빙붕
버크너섬
코츠 랜드
1915년
1월 18일
빙하에 갇히다.
엔듀어런스호의 침몰
1915년 11월 21일
70°
남극권
엘레판트섬
1916년 4월 9일
클라렌스섬
웨들해
60°
사우스샌드위치섬
사우스조지아로의 귀항로
사우스조지아섬
50°
웨들해에서의 엔듀어런스호의 경로
빙하에 갇힌 엔듀어런스호의 표류 경로
얼지 않은 바다를 향한 섀클턴 탐험대의 표류 경로
제임스 케어드호의 경로
0
400
800 km

동료들이 세상에서 가장 험한 바다를
헤치고 1,200km의 대항해를 떠나려는
순간이었다.

프랭크 헐리
《섀클턴 탐험대》

어떤 지점으로 선수를 잡을 것인지
토의가 계속되었다.
섀클턴이 입을 열었다.
"혼곶이 어떻겠습니까? 그곳이 가장
가깝습니다."
"물론 그렇습니다만, 결코 도달하지
못할 것입니다. 서풍이 끊임없이 우리를
몰아붙이고 있습니다. 운이 좋다면
포클랜드에나 도달할 수 있겠지요."
내가 대답했다.
"당신의 생각대로 사우스조지아로
선수를 잡아야 할 것 같습니다. 물론 가장
먼 곳이지요. 그렇지만 바람도 그쪽으로
불고 있습니다."
그리고 섀클턴은 빠른 말로 이렇게
덧붙였다.
"이제까지 우리는 위대한 모험을
수행했습니다. 그러나 이번 여행은 가장
위대한 모험으로 기록될 것입니다.
동화책에서 말하듯 우리는 성공하거나
아니면 죽을 것입니다."

프랭크 워슬리
《엔듀어런스호》

마지막 남은 기름통을 뜯어 외투와
장갑과 양말에 뿌렸다. 그러고는 펭귄
언덕으로 달려가 불을 붙였다. 갑자기
배(칠레 선적의 옐초호)가 멈춰 서더니
소형 보트가 내려졌다. 우리는 사다리를
타고 보트로 내려서는 어니스트 섀클턴
경을 확인할 수 있었다.

프랭크 헐리
《섀클턴 탐험대》

샤르코의 여행

장 밥티스트 샤르코는 인류의 손이 닿지 않은 극지방을 개척하기 위해 오랜 세월 투쟁했다. 1936년 아이슬란드 근해의 얼음바다는 샤르코와 푸르쿠아 - 파호의 선원들을 삼켜 버렸다.

장 밥티스트 샤르코는 1867년 7월 15일, 뇌이쉬르센에서 태어났다. 그의 아버지 장 마르탱 샤르코는 살페트리에르 병원의 교수이자 신경병리학의 창시자였다. 당대의 관습에 비춰 볼 때 아들의 장래는 이미 결정된 상태였다. 그는 의사가 되어야 했다. 하지만 샤르코는 늘 항해만을 꿈꾸었다. 알사스에서 학교를 다니던 시절, 그의 공책은 온통 배를 그린 낙서투성이였다. 그는 뇌이 정원에서 극지탐험놀이를 즐기곤 했고, 방학이 되면 노르망디 해안 위스트레앙에서 낚시꾼에게 해상생활을 배우기도 했다.

탐험에 대한 열정을 잠시 접어 두고 샤르코는 아버지의 뜻에 따라 통근조수 시험을 치러 합격했다. 군대에서 알프스 엽보병(獵步兵)으로 근무한 그는, 복무를 마친 후 1891년 인턴으로 채용되어 살페트리에르에서 아버지와 함께 근무했다. 그리고 1895년에는 논문이 통과되었다. 부친 샤르코 교수가 죽은 다음, 샤르코는 생물학으로 방향을 전환하여 파스퇴르 연구소에 들어가 암을 연구했다.

그러나 항해를 떠나고 싶은 마음에 늘 좌불안석이었다. 그 무렵 해군성 장관 에두아르 록로이의 의붓딸인 잔 빅토르 위고와 결혼하고, 장인의 도움으로 함대의 보조의사로 근무하게 되었다. 파리의 사교계로 진출한 이후에도 이럭저럭 살아 나갈 수 있었지만 그는 언제나 탐험을 향한 열정에 사로잡혀 있었으며 세상에 이름을 떨치고 싶었다. 그는 항상 바다에서 여름철을 보냈다. 자신의 요트 쿠르리스에서 여름을 보내던 샤르코는 1893년 처음으로 길이 19.5m의 15톤 쾌속선인 푸르쿠아-파호에서 재냈다. 이 배는 영국과 아일랜드를 항해하려는 그의 계획에 따라 건조되었다. 1901년 샤르코는 페로에 제도를 조사하기 위해 떠났는데, 이 항해는 그에게 이 제도를 항해하는 훈련의 기회가 되었으며 그곳에 관한 중요한 정보를 수집하는 계기가 되었다. 그의 여행보고가 프랑스 요트 클럽에서 출간하는 《가이드지》에 실렸다. 이런 일은 처음이 아니었다. 왜냐하면 의사이자 항해자인 샤르코는 《모든 사람들 가까이에 있는 항해》를 써서 이미 정평이 나 있었다. 이 책은 여러 세대에 걸쳐 선원을 양성하는 데 좋은 지침서로 인정받았다.

1902년, 그는 해군성 장관으로부터 첫 공식임무를 받았다. 당시 남극에서 포경선이 자주 드나들던 노르웨이 소유지인 장메이앙섬의 어장을 연구하는 임무였다. 철 스쿠너선(두 개에서 네 개의 돛대를 가진 세로로 돛을 장치한 서양식 범선:역주)인 로즈 마린호를 타고 출항한 그는 화산활동을 포함한 다양한 과학적 현상에까지 조사범위를 확대했고, 조랑말을 타고 아이슬란드를 답파했다. 그러나 그에게 이런 식의 여행은 기분풀이 정도였다. 그는 다른 나라들이 1840년경부터 극지에서 다양한 과학 탐사를 실시하는 데 비해 프랑스만이 극지 연구를 소홀히 한다고 애석해했다.

1897에서 1899년까지 벨지카호를 지휘한 아드리앙 드 제를라슈는 남극에서 최초로 겨울을 보내는 데 성공했다. 1899년 베를린에서 열린 국제 지리학 회의에서는 신비스러운 남극대륙을 체계적으로 탐험하자는 주장이 대두했고, 그 호소는 널리 공감을 얻었다. 1902년에는 4개국 탐험대가 이들 지역에서 작업에 착수할 준비를 마쳤다. 이들은 영국 디스커버리호의 스콧, 독일 가우스호의 에리히 폰 드리갈스키,

32m의 세대박이 범선 프랑세호는 생말로에 있는 고티에 조선소에서 건조되었다.

스웨덴과 노르웨이 안타르티카호의 오토 노르덴시욀드, 그리고 스코틀랜드 스코티아호의 W. S. 브루스였다. 처음 북극에 매력을 느꼈던 샤르코는 프랑스가 다른 나라들 같은 계획이 전혀 없다는 확연한 사실 때문에 모험에 투신할 결심을 했다. 생말로에서 그는 자신의 자산을 투자해 극지 탐험을 위한 배를 한 척 건조하도록 했다. 프랑세호라고 이름붙인 이 배는 빙해에서 항해할 수 있도록 견고하게 만들어졌으며, 떡갈나무 선체와 세 개의 돛, 그리고 125마력의 보조기관을 갖추고 있었다.

프랑스는 모험을 불신하다

1903년 초, 과학협회는 소식이 끊긴 노르덴시욀드를 걱정했다. 이에 샤르코는 남극으로 떠나기로 결심했다. 하지만 이 같은 과학적 임무에는 정부의 지원이 필요했다. 아무리 그가 부자라 할지라도

프랑세호의 수뇌부. 앞줄 왼쪽에서 오른쪽으로 레이, 샤르코, 마타. 뒷줄은 플레노, 튀르케, 구르동.

특정 개인은 재정지원을 할 수 없기 때문이었다. 이후 무관심과 공권력의 인색함에 대항하는 오랜 싸움이 전개되었다. 공화국 대통령 루베는 과학아카데미와 자연사 박물관, 지리학회에 대한 후원을 승인했다. 경도국(經度局)은 소신을 갖고 충고를 아끼지 않았으며, 해군은 석탄 100톤과 몇 가지 장비의 사용을 허가해 주었다. 그러나 문교부의 파견단은 어떤 종류의 기부금이든지 단호히 거절했다.

친척들의 도움과 자신의 명성 덕분으로 샤르코는 정확히 2만 프랑의 기부금을 모을 수 있었다. 프랑스 중산층이 과학적 사고방식을 지녔다 할지라도 이런 식의 모험은 불신하던 시절이었다. 그러나 진취적인 신문 《르마탱》은 프랑세호라 이름붙인 잠수함을 건조하기 위해 국민 모금운동을 시작한 참이었다. 그 신문의 발행인 브뤼노 바리야는 샤르코에게 탐험준비를 할 수 있도록 150만 프랑을 제공했다. 흔치 않았지만 감동을 주던 호의적인 후원자들도 있었다. 이중에서 카랑탕의 한 제조업자는 탐험에 감격하여 저장해 놓은 우유와 버터, 사과 브랜디를 제공하기도 했다.

그럼에도 재정의 부족은 여전히 큰 부담이었다. "내가 얼마 전 보낸 12개월보다 더 이상 고통스러울 수는 없으리라."고 샤르코는 적고 있다. ……

탐험대는 해양학, 기상학, 동물학, 고대생물학, 지리학 연구를 목적으로 파타고니아 남쪽에 위치한 남극 대륙 일부와 그레이엄 랜드와 알렉산드르 1세 섬에 자리잡았다. 1838년 뒤몽 뒤르빌이 짧은 기간 탐험을 한 이래로 이곳에 발을 디딘 프랑스인은 한 사람도 없었다.

그의 일행은 두 명의 해군장교를 포함해 모두 19명이었다. …… 배는 견고했지만 허술한 기계 때문에 말썽이 끊이지 않았다.

탐험대는 부에노스아이레스에 도착한 후, 1903년 12월 23일 그곳에서 불의 땅을 향해 재출발했다. 1904년 1월, 샤르코는 그레이엄 랜드를 목표로 남쪽을 향해 돌진했다. 그 배에는 모든 종류의 물건과 — 그중에는 조립식 집도 있었다 — 긴 겨울을 나기 위한 식량이 비축되어 있었다. …… 일행은 각자의 입맛에 맞는 음식을 제공받을 수 있었다. 석탄은 이곳저곳에 쌓여 있었다. ……

예상보다 훨씬 빨리 곤경에 맞닥뜨렸다. 정확한 지도도 없었고 수로측량표도 없는 해역에서, 간단한 도구에 의지해 알 수 없는 해류를 헤쳐 가며 어려운 항해를 해냈던 그의

남극을 배경으로 한 프랑세호.

선배들의 경험을 떠올렸다. 끊임없이 경계를 했건만 항해자들은 위치가 확인되지 않는 암초나 비스듬하거나 자리잡은 빙산에 걸려들곤 했다. 1904년 2월 2일, 프랑세호는 사우스셰틀랜드 남서쪽에 도착해 섬과 곶을 보았다. 그 지역은 한번도 측정된 적이 없었는데, 고래나 바다표범을 잡는 어부를 제외하고는 아무도 그곳을 왕래하지 않았기 때문이다. 그들에게 과학적 관심이 있을 리 없었다.

얼음절벽 위에서

처음으로 보일러가 파손되었음에도 — 파손된 곳은 그외에도 많을 것이다. — 측정작업이 시작되었다. 사람들은 얼음이 비교적 얇은 지점에서 수로를 찾으면서 조심스럽게 전진했다. 어떤 때에는 강한 배의 추진력으로 얼음을 쳐내거나, 두껍고 평평한 덩어리를 밀어내거나 뒤엎었다. 또 어떤 때에는 배의 무게로 밀어붙여 구불구불한 틈을 만들어 갔는데, 장애물이 두 조각으로 분리되면서 그 틈새를 통해 수로가 열렸다. '진실로 열정적인' 이 항해를 계속 수행하기 위해 샤르코는 돛대 위로 기어올랐다. 활대 위에 자리잡은 그는 배가 얼음에 잘 저항하고 있으며 순탄히 항해하고 있음을 만족스러워했다. ……

조심스럽게 해안선을 따라가면서, 밤을 보내거나 기계를 수리하기 위한 피난처로 굴곡이 가장 덜한 곳을 찾던 프랑세호는 환상적인 풍경이 펼쳐진 빙산의 미로 속으로 들어가게 있었다. "그것은 찬란한 장식이었다. 시간이 흐름에 따라 우리는 투명하고도 눈부신 그 장관을 맘껏 즐길 수 있었다. 도처에 높고 거대한 산맥들이

사냥과 고기잡이에 몰두하는 탐험대. 식료품 저장소 격인 선미에 새들이 걸려 있다.

있고, 빛나는 백색광은 황량한 절벽들 중에서 몇몇 바위를 또렷이 부각시켰다. 빙하와 빙산들은 아주 연한 하늘색에서 감청색에 이르기까지 온갖 종류의 푸른 색조를 띤 채 우리에게 다가오고 있었다. 유리 반죽으로 이 섬세한 건축물은 바다의 거대하고 투명한 푸른빛과 대조를 이루기도 하고 한데 뒤섞이기도 했다."

2월 8일, 부빙군 위에 최초로 하선했다. 부빙군에 완벽한 야영지를 설치하는 것은 불가능했기 때문에 임시로 텐트를 세워야 했다. 그곳에서 해군 중위 레이는 극지 관찰을 시도했다. 사람들이 바쁘게 보일러 가스가 새는 곳을 수리하는 동안, 해군 대위 마타는 자동기록식 검조기를 설치했고, 자연과학자인 튀르케는 새를 박제했으며, 지질학자 구르동은 암석표본을 모았다. 다른 사람들은 탐험용 개에게 먹이기 위해 바다표범과 펭귄을 사냥했다.

극지의 동물군

오늘날 우리는 샤르코의 저서를 통해 이 시기 이후의 해상 동물의 퇴화를 측정할 수 있다. 2월 6일, 50여 마리의 바다표범들이 마치 배에 충돌하려는 듯이 배 주위로 다가오고 있었다. 그때 고래가 한 마리 나타나 바다표범을 쫓아 버렸다. 고래과 바다표범들은 차가운 물 속 저쪽에서 갑자기 몰려들었다. 아마추어 환경생태학자 샤르코는 자연을 보호하려고 애썼으며 마주치는 동물에게도 동정심을 가졌다. 그는 아델리와 파푸아뉴기니의 마을과 관습, 혈통을 유지하며 번식하는 두 종류의 펭귄을 익살스럽게 묘사하고 있다. 샤르코는 그들을 해치려드는 개들로부터 펭귄을 보호해 주었다. ……

그럼에도 불구하고 샤르코는 바다표범과 펭귄을 희생시켜야만 했다.

당시에는 얼음을 녹여서 보일러나 다른 장비를 가동시키는 데 필요한 연수로 썼는데, 동물의 지방이 얼음을 녹이는 데 사용할 수 있는 훌륭한 연료였기 때문이다. …… 그러나 그는 사람들이 펭귄들에게 피해를 입히지 않도록 조처했다.

1904년 3월 초, 탐험대는 겨울을 보내기 위해 윈델섬의 어떤 만에 정착했다. 남위 65도 5분 지점에서 탐험대는 '어떤 정기적인 관찰도 지속된 바 없었던' 지역에 도달하게 되었다. 탐험대는 노르덴시욀드가 도달했던 남쪽 지점을 1도 지나쳐 버렸던 것이다. 언덕 정상은 과학적 관측을 하기에 알맞은 장소로서 이곳에 설치된 야영지에 기구들이 배치되었다. 잘 정박시킨 프랑세호는 임시변통의 방어막 덕분에 얼음으로부터 보호되었다. 석면으로 채워진 나무 판지와 골함석 지붕으로 조립식 집을 얼음 위에 만들어 세웠고, 구리 못으로 박은 나무 선실은 극지점 관찰을 위한 실험실로 사용되었다. '빅토르 위고 거리'라고 명명된 벼랑 끝의 길은 썰매와 개들이 쉽게 지나다닐 수 있도록 잘 닦여졌으며, 식량과 물자가 저장되어 있는 헛간으로 통해 있었다.

훌륭한 장비

겨울을 지내는 동안, 기온은 영하 39℃까지 내려갔으며 과학적 연구는 순조롭게 진행되어 나갔다. 샤르코는 그가 제작한 기구들을 이용하여 세균학에 관한 연구를 진행시켰고, 이를 통해 세균 배양이 증대되었다. ……

날씨는 혹독했지만 선상의 분위기는 화기애애했다. 견딜 수 없을 만큼 열악한 환경을 갖춘 소우주 안에 갇힌 사람들은 다행히 존경할 만한 훌륭한 성품의 소유자들이었다. "탐험대가 모든 일에 적응할 수 있고 기꺼이 모든 요구에 따를 수 있었던 것은 바로 훌륭한 장비 덕분이었다." 당시는 정치 · 종교적인

마타가 경위기로 측정하는 동안 샤르코는 펭귄의 서식지에 접근했다
"눈높이가 같도록 눈에 엎드려 그들과 오랜 대화를 나누는 일은 큰 즐거움이었다. 내 주위로 몰려든 펭귄들은 분명 나의 말을 들었고 내가 모르는 언어로 대답했다."

"큰 날개를 펼친 바다제비는 긴 발 위를 덮는 갈고리 모양의 거대한 노란 부리로 기이한 모습을 보여 주었다."

싸움이 활발하게 진행되던 시기였다. 특히 1904년에는 정부가 주도한 콩비즘(combisme)과 반교권주의 투쟁이 횡행했으며, 드레퓌스(Dreyfus)는 2년 후에 복권되었다. 그러나 그 어떤 것도 탐험대의 화합을 깨뜨리지 못했다. ……

해상근무의 오랜 전통을 이어 온 샤르코는 여러 차례에 걸쳐서 탐험가들이 서로의 경험을 나눌 수 있는 기회를 마련했다. 1904년 5월, 선원들을 위해 학교가 문을 열었다. 마타는 원양항해선 선장 시험을 치르려는 두 지원자를 위해 강의했으며, 샤르코와 지질학자 구르동, 그리고 다재다능한 플레노는, 사람들의 다양한 욕구에 부응하기 위해 3단계로 준비된 교육과정을 실시했다. 선원들 중 한 사람은 글자를 깨치기를 바랐으며, 또 다른 사람은 철자법, 정수론, 역사, 지리학에 숙달되기를 원했고, 세번째 사람은 사령관에게서 셰익스피어의 언어 구사를 배우고 싶어했다. 선상은 풍부한 자료를 갖춘 도서관으로 기능했는데, 선상 도서관에는 호머, 위고, 미슐레의 저서까지 갖추어져 있었다. ……

1904년 8월, 영하 25℃의 날씨에 그들은 포경선을 타고 오늘날 우리 눈에는 매우 형편없어 보이기까지 하는 장비를 갖춘 채 해안 탐험을 시도했다. 전대원들의 건강상태는 만족스러웠지만, 성능 좋은 보호안경이 없던 탓에 안질이 발발해서 매우 고통을 받았다. 그러나 대원들의 육체적 저항력은 뛰어났다.

극지방의 매력

9월, 남극에 봄이 시작되면서 공중전기, 해류, 해안 수로 측량, 모든 종류의 동물들 — 특히 가마우지, 제비갈매기, 갈매기, 메갈리스트리스 같은 새들 — 에 대한 관찰 따위 여러 분야에 걸친 과학적 탐구가 새롭게 시작되었다.

12월에는 출발을 고려해야 했지만, 우선 얼음 속에 갇힌 프랑세호가 전진할 수 있도록 얼음을 제거하는 일이 무엇보다 급한 일이었다. 얼음덩어리를 부수기 위해서 전임자들이 사용했던 강력한 폭약인 멜리나이트를 사용했으나 별 효과가 없었다. 그래서 부빙군을 자르기 전에 두터운 층의 눈부터 제거했다. 이와 같은 방법을 동원한 결과 크리스마스에 출범할 수 있었다. 그러나 기계가 자주 말썽을 부렸고, 석탄이 부족했기 때문에 돛을 달고 항진해야 했다.

시기적으로 불리하기는 했지만 그레이엄 랜드를 향해 샤르코는 곶의 끝까지 전진했다. 1905년 1월 15일, 배는 수면에 나타날 듯 말 듯한 암초에 부딪혔는데 — 선원들은 "용골이 해저에 닿는다."고 표현한다 — 이로써 프랑세호는 이동이 곤란한 지점에서 결정적인 손상을 입고 말았다. 물을 퍼낼 수 있도록 아예 펌프를 선체의 갈라진 곳에 가져다 놓아야 할 지경이었다. 사태가 심각했지만 탐험대는 때때로 배를 멈추고 수로 측량을 계속했다. 프랑세호는 2월 15일에 남극을 떠나 3월 29일 부에노스아이레스에 도착했다. 아르헨티나 정부가 그 배를 구입해서 수리를 맡았다. 순양함 뒤플렉스에 인도된 샤르코와 대원들은 대형 여객선 알제리호에 승선해 프랑스로 출항했다.

탐험은 중요한 결과를 가져왔다. 해군 장관 가스통 통송과 과학계는 탐험대를 열렬히 환영했다. 샤르코는 보고서를 출판하는 데 전념하고 있었지만, 선원이라면 으레 그랬듯이, 그를 매혹시키는 극지방을 향해 다시 출발할 생각에 잔뜩 사로잡혀 있었다.

"그곳에서 돌아온 다음에도 정신적, 육체적 피로는 까맣게 잊은 채 되돌아갈 생각만 품게 만드는, 그처럼 강렬하고 끈질긴 극지방의 신비스런 매력은 어디에서 비롯되는가? 황량하고 두려움을 불러일으키는 이 지역의 매력은 무엇인가?" 미지의 세계를 밟는 기쁨, 고통과 맞서 싸우는 용기, 난관 극복에 따르는 정복자의 긍지, '종교적 열망'과도 같은 이러한 요인들이 극지의 매력이 아닐까? 샤르코 또한 치유될 수 없을 만큼 이 욕망에 사로잡혔던 것이다.

푸르쿠아-파호도 프랑세호가 건조된 조선소에서 제작되었다.

그린란드의 푸르쿠아-파호

이번 탐험에는 여러 단체에서 지원금을 보조해 주었다. 1905년 하원 의원장으로 선출된 폴 두메가 정부로부터 60만 프랑의 보조금을 얻어냈고, 해양학에 심취했던 모나코 왕자는 탐험에 필요한 기구들을 준비해 주었으며, 개인적으로 지원금을 제공하겠다는 사람들도 줄을 지어 늘어섰다. 샤르코는 새로운 배를 건조시킬 수 있었다. 마침내 1908년 5월 18일 유명한 푸르쿠아-파호가 생말로를 출발했다. 보조기관을 장착한 445톤 급 세대박이 범선은 선체를 단단히 보강했으며, 넓고 안락한 선실을 갖추고 세 개의 실험실과 2,000권의 책을 보관한 두 개의 도서실을 마련하고 있었다.

1908년 8월 15일, 22명의 대원을 태운 푸르쿠아-파호는 르아브르 항구를 떠나 남극으로 향했다. 과학조사단은 네 명의 학자들과 세 명의 해군 장교로 구성되었다. ……

탐사대는 그레이엄 랜드 탐험을 추진했고, 1831년에 발견된 아델리 랜드를 향해 계속 항해했다. 아델리 랜드의 규모와 지형을 자세히 조사한 뒤 탐사대는 거의 알려지지 않은 알렉산드르 1세 섬으로 향했다. 1909년 11월 말, 푸르쿠아-파호는 남서쪽으로 다시 출발하기 앞서, 사우스셰틀랜드 제도에서 물자를 보급받았다. 얼음 때문에 접근하기가 어려운 남위 70도, 서경 75도 부근의 새로운 육지에 도달하기 위해서였다. 샤르코는 벨링스하우젠이 표트르 대제라고 명명했던 섬을 발견했다. 1820년 벨링스하우젠이 이곳을 지나간 이후 어느 누구도 이 지역에 대한 탐험을 시도하지 않았다. 인간을 도무지 반길 것 같지 않은 적대적인 험악한 해역에서 감히 모험을 시도하려 들지 않았기 때문이다. 샤르코는 남위 70도를 통과해 인간의 손길이 아직 닿지 않은 처녀지로 남아 있던 약 2,000km에 달하는 해안을 탐사했다.

1910년 6월, 푸르쿠아-파호는 루앙으로 귀환했다. 소르본 대학의 강의실에 운집한 학계 인사들은 남극에서 가장 위험한 불모지를 탐험한 대원들에게 경의를 표하며 진심으로 환영해 주었다. 이번 탐사에서는 과학적인 성과도 눈부신 것이었다. 루시만은 기상학과 해양학, 공중전기에 관련된 연구서를 세 권이나 간행했다.

고등실업학교의 수상 실험실이 된 푸르쿠아-파호는 1911년 망슈에서 해양 학술조사 항해를 실시했다. 그후 샤르코는 유지비를 감당할 수 없어 푸르쿠아-파호를 상선단에 팔았다. 이 배는 원양항해를 수행할 함장을 위한 실습선으로 바뀌어 아이슬란드와 장메이앙섬 해역을 통행하게 되었다.

1914년에 입대한 샤르코는 다음해에 보조함대의 대위로 임명받아 프랑스와 영국의 선원들이 탄 포경선을 지휘했다. 이들의 임무는 독일 잠수함의 기지가 있으리라고 추측되는 페로에 제도 주변을 감시하는 것이었다. 그때 샤르코는 반잠수함 투쟁을 목적으로 Q보트를 구상했고 해군은 이를 채택했다. Q보트 메그호 함장직을 수락한 샤르코는 1차 세계대전이 종료될 때까지 정찰임무를 수행했다.

1920년 해군 소령으로 진급한 샤르코는 해군이 군함으로 개조해 놓은 푸르쿠아-파호에 복귀했다. 그후 해군 수로측량부가 과학탐사를 권고했고, 그는 순양함을 이끌고 1925년에 그린란드로 출항했다. 그는 그린란드의 동쪽 해안을

푸르쿠아-파호 선상에서의 한때. 중앙에 당시 67세이던 샤르코 함장이 보이고, 그 왼쪽에 앞으로 극지 탐험가로서 명성을 떨칠 폴 에밀 빅토르가 보인다.

항해한 최초의 프랑스인으로서 이곳을 탐험하는 데 전념을 기울였다. 1926년 과학 아카데미 회원으로 선출된 샤르코는 같은 해에 알베르 드 모나코 상을 받았다.

1929년에 그를 회원으로 받아들인 해양 아카데미와 경도국, 그리고 과학 아카데미의 협조를 받아, 1930년부터 샤르코는 국제 지구관측년 행사를 준비했다. 상원 의장을 맡은 폴 두메는 하원으로부터 처음에 거부당했던 신임을 얻어낼 수 있도록 샤르코를 도왔다. 이제 샤르코는 에스키모 거주지 인근에 있는 스코스비선드에 과학기지 건설을 추진할 수 있었다.

1933년, 푸르쿠아-파호는 리요와즈호와 함께 1833년에 실종된 젊은 프랑스인 항해자를 추모하기 위해 블로스빌이라 불리는 해안을 탐험했다. 또한 샤르코는 세르밀리괴드에 위치한 안마살리크에서 1년 간 체류중인 폴 에밀 빅토르가 주도하는 민족지학(民族誌學) 조사단을 그린란드에 정착시켰다. 이듬해 샤르코는 조사단을 다시 찾아와서 아직까지 매우 불확실한 이 지역의 지도 제작을 추진해 나갔다.

1936년 7월 14일, 샤르코는 마지막으로 생세르방을 떠났다. 그해에는 그린란드 동부 지역의 부빙군이 부분적이지만 크게 줄어들어 푸르쿠아-파호는 평상시에 접근할 수 없었던 지역에까지 도달할 수 있었다. 그러나 여름 내내 태풍이 기승을 부렸다. 1936년 9월 16일, 유난히도 격렬하게 휘몰아치는 폭풍우와 파도 속에서 푸르쿠아-파호는 아이슬란드의 아프타네스 앞바다에 보이는 암초에 난파되었다. 바다는 샤르코도 삼켜 버렸다. 40여 명 중 생존자는 단 한 명 조타장, 르 고니덱이었다. 그후 프랑스 파견대는 푸르쿠아-파호의 잔해를 회수할 수 있었다.

에티엔 타이유미트
《역사》, 1986년 12월

펭귄나라의 여행

황제펭귄들은 겨울 동안 알을 낳는다. 따라서 펭귄의 배태(胚胎) 형성을 연구할 시기로는 겨울이 적격이다. 1951년 아델리 랜드 탐험대는 두 번의 탐험을 시도했다. 어둠과 추위, 폭풍설이 늘 그들을 뒤따랐으며 빙하 위를 이동할 때는 위험이 도사리고 있었다.

1951년 아델리 랜드 탐험대를 이끌던 미셸 바레의 일기 중에서 발췌

8월 말 바다의 얼음 위로 급습하듯 겨울이 닥쳐 왔고, 그 위력 앞에서 우리는 한 순간도 벗어날 길이 없었다.
황제펭귄이 부화하는 과정과 새끼 때의 생활을 연구하기 위해서 기지에서 서쪽으로 150km 떨어진 푸앙트제올로지로 돌아가야 했다.

6월에 탐험을 할 때에는 웬만큼 어려움을 감수하면서 무한궤도차 웨젤(Weasels)을 사용하여 층층이 쌓여 고립된 바다의 얼음을 반 정도는 녹일 수 있다.

8월의 날씨는 끔찍했다. 8월 7일부터 월말까지 시속 80에서 160km의 강풍이 불어왔고, 심한 폭풍설이 14일 동안이나 계속되었으며, 5일 간 발생한 눈사태도 끔찍한 것이었다.

9월 2일, 새벽 날씨는 그 어느 때보다 더 고요했다. 그렇다고 날씨가 좋다고

말할 수는 없었다. 회색빛 하늘은 위협적이었고 때때로 바람은 허리까지 닿는 눈보라를 일으키기도 했다. 대원들은 눈도 바람도 없이 태양이 빛나는 좋은 날씨를 잊은 지 오래였으며 적은 것으로 만족하는 데 익숙해 있었다. 여행자들은 서둘러 장비를 갖추고 썰매에 짐을 싣는 일을 마치고 출발하기 앞서 든든하게 아침식사를 했다. 내 방에서 나는 초조해 발을 동동 굴렀다. 사람들이 출발하는 모습을 빨리 보고 싶었다. 그러나 이와 같은 나의 생각은 어리석은 것이었다. 악천후를 이겨내야 한다면 차라리 바다 얼음 위에 있는 것보다 기지에 있는 것이 훨씬 낫기 때문이다.

이른 아침에 웨젤에 올라탄 동료들은 먼 바다와 베르트섬을 향해 길을 떠났다.

정오쯤 그들이 페놀라 빙하의 전면을 돌아가기 위해 출발한다는 사실을 우리에게 알려 왔다. 기지까지 한 시간이 걸리는 거리였지만 폭풍설이 강했고, 시야가 흐렸으며, 바람의 속도는 현기증이 날 정도로 빨랐다. 얼마 지나지 않아 그들은 눈보라에 휩싸여 꼼짝달싹할 수 없게 되었다. 운 나쁘게도 그들은 최악의 코스 중 한 곳에 있게 된 것이었다.

우리는 연속적으로 폭음을 내는 듯한 폭풍설이 몰아치는 가운데 무전기의 마이크에서 나는 소리를 겨우 들을 수 있었다. 나는 그들에게 그들이 서 있는 곳의 표면상태가 어떤지 물어 보았다. 나는 그들로부터 얼음이 완전히 녹았고 눈 밑에는 물로 보이는 20cm 가량의 액체로 된 눈찌꺼기가 쌓여 있다는 사실을 확인할 수 있었다.

우리는 밤중에 무슨 일이 일어날지도 모른다는 불안한 생각을 하면서 잠이 들었다. 그동안 열쇠를 두 번 돌려 닫은 웨젤 안에서 탐험대의 동료들도 우리와 마찬가지로 그들을 받치고 있는 수백 미터 깊이의 염수를 염려하고 있었다. 폭풍설로 점점 더 큰 눈더미가 운반차에 쌓이자 베르트랑은 눈더미의 무게에 눌려 웨젤에 구멍이 뚫리는 것은 아닐까 하는 두려움을 갖게 되었다.

매시간 모터들이 가동되었고 웨젤은 어려운 상황에서도 20m 정도 전진했다. 그러나 위험이 사라진 것은 아니었다. 시야가 완전히 가려진 상태에서 그들은 전혀 전진방향을 파악할 수가 없었다. 강이나 빙산과 마주칠 위험이 곳곳에 도사리고 있었다.

다음날 아침에도 상황은 크게 나아지지 않았다. 우리는 일시적으로나마 날씨가 개기를 기대했다. 재교신이 이루어지자 나는 베르트랑에게 의견을 물어 보았다. 그는 얼음의 표면상태에 대해서 단호한 입장을 취했다. "얼음이 녹았지만 계속해서 전진하는 것은 매우 위험합니다." 그는 나에게 어떻게 해야 할지 물어 보았다. 나는 기상학자 프뤼돔의 의견을 듣고 싶어서 그에게 몸을 돌렸다. 그는 폭풍설이 약화되리라고 예상하면서도, 위험한 작전을 시도하기에 알맞을 정도로 맑은 날씨를 장담하지는 않았다. 오늘밤 나는 불안해서 더 이상 견딜 수 없었으므로 주저하지 말고 돌아오라고 베르트랑에게 충고했다.

동료들은 11시에 웨젤을 타고 여전히 위협적으로 낮게 가라앉은 회색빛 하늘 아래서 반쯤 선회하여 기지로 귀환했다. 나흘 후 베르트랑은 다시 출발을 시도했는데 이번에는 성공적으로 통과했다.

미셸 바레

에스키모인과의 만남

기나긴 북극의 겨울, 선상생활은 따분하기 이를 데 없었다. 이때 에스키모의 방문은 승무원에게 떠들썩한 흥밋거리였다. 1818년, 북서항로를 찾기 위해 북극 지방으로 떠난 존 로스는 탐험일기에 부시아 반도의 에스키모인과의 만남을 이렇게 기록해 두었다.

8월 10일 아침 10시경, 우리는 원주민들이 끄는 여덟 대의 눈썰매를 보고 기쁨을 감추지 못했다. 그들은 우리가 있는 지점을 향해 구불구불한 길을 돌아오고 있었다. 우리에게서 약 1,600m 떨어진 지점에 정지해 썰매에서 내린 그들은 주위를 정찰하려는 듯 작은 빙산에 올라갔다. 그 위에서 30분 정도 서로 의논을 나누는 듯하더니 그들 중 네 사람이 내려왔다. 그들은 돛대 쪽으로 접근했지만 감히 우리에게 다가오지는 못했다. 그동안 우리는 모든 배 위의 커다란 돛대에 백기를 올렸고 존 사쇠즈를 전령으로 파견했다. 그는 원주민과 협상이 이루어졌을 때 그들에게 줄 선물과 백기를 지니고 떠났다. 사쇠즈는 아무도 동반하지 않고 무기도 없이 기꺼이 그곳에 가기를 자청했다. 이러한 그의 제안에 반대하는 사람은

빅토리아호와 이사벨라호의 승무원들과 에스키모 원주민들의 첫 만남.
이 만남은 프린스 리전트만에서 이루어졌다.

아무도 없었다. 원주민과 만나기로 선정된 장소가 이사벨라호에서 800m 떨어진 지점이었기 때문이다. 약속장소를 그곳으로 정한 것은 원주민들에게도 이로운 일이었는데, 수로, 더 정확하게 말하자면 두꺼운 널빤지 없이 건널 수 없는 얼음 속의 작은 틈이 서로를 갈라놓았던 것이며, 그들이 생각하기에 화살을 제외하면 어떠한 공격도 가능하지 않은 지점이었던 것이다.

전령의 역할을 맡은 사쇠즈는 용기와 재치를 한껏 발휘했다. 그는 원주민에게 접근하기 위한 우호적 표시로써 일정한 거리를 유지한 채 준비한 깃발을 내려놓았고 앞으로 걸어가면서 모자를 벗어 정중하게 인사했다. 원주민 중 몇몇은 결심을 굳힌 듯 300m 정도 거리를 두고 서 있다가 썰매를 타고 내려왔다. 그들은 사쇠즈를 향해 우렁차게 소리질렀다. 사쇠즈도 그대로 흉내내어 답했다. 그들은 위험을 무릅쓰고 조금 더 가까이 오려고 시도했다. 손에 개를 이끌 때 사용하는 채찍말고는 아무것도 든 게 없었다. 수로를 쉽게 건널 수 없다는 사실을 확인한 후에 그들 중 한 사람은 경계를 늦추는 듯했다. 양쪽이 어느 정도 서로의 언어를 이해하는 것 같았지만 처음 얼마 동안은 별다른 소득 없이 서로의 외침, 말, 몸짓으로 의사를 교환했다. 원주민들은 평소보다 훨씬 느리게 말을 했는데, 마침내 사쇠즈는 그들이 사용하는 것은 휴무케(Humooke) 방언이 확실하다고 생각했다. 사쇠즈가 가져간 선물을 흔들면서 원주민들의 방언으로 "Kahkeite(이리 오시오)!"라고 소리치자 그들은 "Naakrie, naakrieaiplaite (싫소, 떠나시오)."라고 대답했다. 그리고 다른 말도 했는데, 그것은 우리가 그들을 전멸시키기 위해 온 것이 아님을 그들이 희망한다는 뜻이었다.

그들 중 가장 용감한 사람이 수로까지 다가와서 장화에서 칼을 빼 들고 반복해서 소리쳤다. "떠나시오. 나는 당신을 죽일 수 있소." 어떠한 위협도 개의치 않은 사쇠즈는 운하 너머로 목걸이와 체크 무늬 셔츠를 던지면서, "나는 당신들과 같은 사람이며 당신의 친구가 되기를 원하오."라고 말했다. 그럼에도 그들은 의혹에 찬 걱정스러운 눈길로 그 물건을 바라보면서 계속해서 "떠나시오, 우리를 죽이지 마시오."라고 외쳤다. 이때 사쇠즈는 그들에게 영국제 칼을 던지며 "이것을 가지시오."라고 말했다. 그들은 조심스럽게 다가와 칼을 집어 들고 소리지르기 시작했고 코를 잡아당겼다. 이에 사쇠즈도 답례의 행동으로 "Heigh, yaw(Hey, You)!"라고 고함치면서 그들처럼 코를 잡아당겼다. 그러자 원주민들은 셔츠를 가리키면서 집요하게 그것이 무엇인지 물어 보았다. 그것이 일종의 의복이라는 사실을 알고서 이번에는 어떤 가죽으로 만들었는지 알고자 했다. 사쇠즈는 그들이 한번도 본 적이 없는 동물의 털로 만든 것이라고 대답했다. 그들은 매우 놀라워하며 셔츠를 집어 들었다. 그때 그들은 자신들과 사쇠즈가 말하는 언어가 서로 의사소통을 하기에 충분한 공통점이 있다는 사실을 알아차리고 많은 질문을 퍼부었다.

우선 그들은 배를 가리키면서 "저기 있는 위대한 창조물은 무엇이오?", "당신들은 태양에서 왔소, 달에서 왔소?", "당신들은 우리에게 밤이나 낮에 빛을 주는 것이오?"라고 쉴새없이 질문했다. 사쇠즈는 자신은 사람일 뿐이며, 그들처럼 아버지와 어머니가 있다고 말하고 나서 남쪽을 가리키면서 이 방향에 있는 먼 나라로부터 왔다고 말했다. 이 말에 대해 그들은 "그것은 있을 수 없는 일이오. 저쪽에는 얼음만 있소."라고 대답했다. 그들은 배를 가리키면서 "저 창조물은 무엇이오?"라고 다시 질문했다. 사쇠즈는 "그것은 나무로 만들어진 집이오."라고 대답했다. 그렇지만 그들은 이 답변에 대해 믿기지 않는다는 태도를 취하며 "아니오, 그것은 살아 있는 것이고, 우리는 그것이 날개를 움직이는 것을 보았소."라고 대답했다. 이번에는 사쇠즈가 그들에게 질문할 차례였다. 사쇠즈는 그들이 누구인가 물었다. 원주민들은 북쪽을 가리키면서 자신들은 사람이며 이 방향에서 살고 있고, 그곳에는 많은 물이 있으며 그들은 일각고래를 잡으러 이곳에 왔노라고 대답했다. 사쇠즈는 수로를 건너 그들에게 가까이 갈 수 있음을 확신한 후, 원주민과 나눈 대화의 내용을 보고하고 수로를 건널 때 사용할 두꺼운 널빤지를 요청하기 위해 배로 되돌아왔다.

만남이 지속되는 동안, 나는 망원경을 사용하여 그들의 움직임을 관찰하는 데 열중했다. 첫번째 사람이 두려움과 경멸을 표하며 사쇠즈에게 접근했으며, 자주 그의 두 동료를 향해 몸을 돌리며 도움을 청할 것처럼 물러서곤 했다. 그들은 가끔씩 뒤로 물러섰다가는 곧 이어 매우 조심스럽고 신중한 걸음으로 다시 앞으로 다가섰다.

존 로스
《북서항로를 찾아 떠난 두번째 여행기》

장교들이 이글루 마을을 방문했다(위). 빅토리아호 선상에 초대받은 두 명의 에스키모가 주변 지역의 지도를 그리고 있다(아래).

에스키모의 장례식

탐험가들의 모험담을 통해 북극 원주민 문화의 다양한 모습이 유럽에 알려졌다. 그린란드 여인의 손자 크누트 라스무센은 에스키모 연구를 하나의 과학으로 정립했다.

시체를 매장하는 데 지명되어 참가했던 사람들은 닷새 동안 그들의 집과 텐트 안에서 침묵을 지켜야 한다. 이 기간중에 그들은 식사를 준비해서도 안 되며 익힌 고기를 자르지도 말아야 한다. 또한 밤중에 옷을 벗어서도 안 되며 모피두건도 벗지 말아야 한다. 닷새가 지나면 몸에 밴 죽음의 불순한 기운을 털어 내기 위해, 손과 몸을 정성스럽게 씻어야 한다. 에스키모인은 이러한 의식을 지키는 이유를 다음과 같이 설명한다.

"우리는 질병과 다른 재해들을 통해 인간을 매장시키는 거대한 악의 힘을 두려워한다. 죽음의 힘은 끝이 없고, 죽음의 혈기는 왕성하므로 사람들은 속죄해야 한다. 비록 우리가 지배할 수 없는 것을 걱정하지 않는다 해도, 우리를 파멸시키기 위해 거대한 돌사태가 시작되고, 우리를 없애기 위해 엄청난 눈보라가 일어나며, 우리가 우리의 카약(Kayak:에스키모인이 사용하는

가죽배)을 타고 높이 솟은 바다에 있을 때 대양은 거대한 파도로 부풀어 오른다는 사실을 우리는 믿는다. 그러나 우리는 일생 동안 더욱 큰 힘을 얻을 수 있으며 위험에 맞서 저항력을 키울 수 있다. 또한 부적과 주문을 사용하면 우연히 발생한 모든 일에 좋은 결과를 가져올 수 있다."

부적은 위험에 처했을 때 보호해 주고 부적을 소지한 사람에게 여러 가지 특성을 부여한다. 어떤 상황에서 부적은 부적의 소지자를 부적이 유래된 내용의 동물로 변화시킬 수도 있다. 인간들 손으로 공격당한 적이 없는 곰의 부적은 상처를 보호해 주며, 매의 부적은 죽음의 위기에 처했을 때 승리를 확신시켜 주고, 까마귀의 부적은 작은 것에도 만족감을 주고, 여우의 부적은 꾀를 준다. 에스키모인은 화로에서 생기는 포록(Porok)이 불보다 강한 저항력을 지니고 있다고 믿고 이 돌을 가져가기도 했다. 또한 그들은 젊은이에게 노인의 생명력을 옮기기 위해서 노인의 침을 어린이의 입술에 바르거나, 어린이의 머리 위에 몇 마리의 이를 놓는다.

옛말에 따르면, "주문은 인간의 정기가 굳건했으며 언어(방언)가 강했던 고대의 유산이다." 또한 주문은 노인들이 이상적이라고 생각하는 말이나 의미 없이 연결된 말로 이루어지기도 한다. 주문은 여러 세대에 걸쳐 전승되어, 각 개인은 이를 죽음이 다가오기 전에는 밝혀서는 안 될 대단히 귀중한 보물로 여긴다. 주문을 해독하는 것은 불가능하다. ……

극지 에스키모인의 종교적인 전통에 관해서 한 가지 사실을 덧붙인다면, 그들은 인간이 영혼과 육체, 그리고 이름으로 구분된다고 믿는다는 사실이다.

불멸의 영혼은 인간의 외부에 존재하며 어둠이 태양을 따라가듯 인간을 따라간다. 엄밀히 말해 인간의 정신이 인간의 몸을 통해 나타나는 것이다. 인간이 죽으면 영혼은 하늘로 올라가거나 바닷속으로 빠지는데, 그곳에서 그들의 영혼은 선조들의 영혼과 연결된다. 그 두 지점에 머무르는 것이 적합한 이치이기 때문이다.

영혼이 머무는 곳이 바로 육체이다. 이러한 육체는 온갖 불행과 질병으로 마침내는 사멸되어 버린다. 인간이 죽을 때 모든 악한 것은 육체 속에 남아 있게 되는데, 그 때문에 에스키모는 시신을 떠맡을 때 특별한 규칙을 준수하는 것이다.

마찬가지로 이름은 생명력과 재능의 저장고에 부여되는 정신이다. 따라서 고인의 이름을 지어 준 사람은 고인의 자질을 상속받는 것이다.

크누트 라스무센
《극해의 그리란드 멜빌만에서 모리스 제섭곶에 이르는 북극지방 탐험이야기》

툴레 최후 왕들의 동료

1951년 봄, 프랑스 지리학자 장 말로리는 시오라팔룩의 이누이트 마을을 떠나 그린란드로 향했다. 그곳에서 그는 2개월 동안 개썰매를 타고 탐험했고, 잉글필드 랜드의 지형학을 연구하면서 11개월을 보냈다.

에스키모인은 '자신들의 개'와 한 쌍을 이룬다. 개를 수레에 매는 작업이라 할 '멍에씌우기'는 지도자 개를 중심으로 개들이 에스키모와 짝을 지어 서로 협조한다는 뜻이다. 에스키모인은 개가 없이는 그들 자신도 없는 것과 같다. 개가 없는 그들은 힘과 능력과 생활의 기쁨을 잃어버린 홀아비와 다름없다. ……

여름에는 사흘마다 겨울에는 날마다 개들에게 영양보충을 시켜야 하는데, 보통 한 마리당 1kg의 고기를 먹인다. 한곳에 묶어 놓은 개들은 칼이나 도끼로 자른 20~30개 정도 되는 고깃덩어리를 향해 촉각을 곤두세운다. 고기를 줄 때에는 반드시 한 마리 한 마리에게 던져 주어야 한다. 삼각형 모양을 한 팽팽한 작은 귀, 바짝 선 잔등의 털, 당신 손의 미세한 움직임에 시선을 고정시키는 갈색 눈, 개들은 사람을 뚫어져라 쳐다볼 것이다. 조각을 던지기가 무섭게 개들은 와락 달려들어 그것을 낚아챈다. 빨리 삼키는 탓에 이빨이 딱딱 부딪치는 소리가 난다. 몇 파운드의 고기를 씹지도 않고 삼켜 버린 다음 개는 뒷다리를 포개고 앉아 다음 먹이를 기다린다. 고기가 땅에 떨어지면 계약은 파기된다. 주는 사람의 몸짓에 개성이 부여된 고기는 땅에 떨어지면서 독특한 분위기를 잃고 만다. 소란스럽게 싸우면서 개들은 서로를 할퀴는데, 가장 힘센 개는 사람 앞에서

중앙에 있는 사람이 북극 연구 센터 소장이자 샤르코의 후임으로 고등연구학교에 온 장 말로리이다.

그의 권위를 세워야 한다.

대열의 선두에 서는 개 나라가크는 따로 떨어져 기다리고 있다. 지도자인 이 개는 평온하나 위압적인 시선으로 광경을 주시한다. 사냥개 무리가 그를 지나치게 재촉하면 이빨 부딪치는 소리를 내는데 이것은 "Kranoqmin ivdlit(그만 좀 해)!"라고 말하는 것 같다. 당신의 명령에 복종하느냐 그렇지 않느냐의 관건은 먹이의 품질, 고기를 자르는 법, 때로는 단호하게 때로는 뽐내듯이 개들에게 먹이를 할당하는 방식 등에 달려 있다.

붉고 까칠까칠한 혀를 늘어뜨리고 있던 개들은 갑자기 차가운 눈을 핥는다. 왜 그들은 그처럼 활기차게 썰매를 끄는 것일까? 분명코 냉혹한 에스키모인이 그들을 굶주리게 했기 때문일 것이다. 개들은 여행이 끝날 때야 음식이 제공될 것이란 헛된 희망에 사로잡혀 여행을 단축시키려고 애쓰는 것이다. 개들은 줄에 묶여 있다. 줄은 팽팽하지 않고 늘어져 있는가? 썰매를 끄는 사람이 긴 채찍 끝으로 개의 민감한 부분인 발, 귀끝, 옆구리, 입 등을 때릴 때면 털뭉치가 눈에 보일 정도로 뽑힌다. 개는 고통스러운 듯 신음소리를 내지른다. 매맞은 개는 더 강하게 썰매를 끌기 시작한다. 어떤 경우에는 매맞을 것을 지레 짐작하고 겁에 질려 앞으로 세차게 내닫기도 한다. 헐떡거리며 개는 서리 낀 입언저리를 이리저리로 돌리고, 비스듬히 검은 두 눈을 찡그리는 듯하다. 개는 에스키모인이 칭찬하기를 기다리고 있다. "우리는 언제나 같은 편이 아니었니?" 한마디 말이나 눈길을 통해 욕구를 충족시킨 개는 눈꺼풀을 깜박거리며 흥겹게 다시 출발한다. 쫑긋 귀를 세우면서 암컷에게 몸을 비비다가 끈이 느슨해지면 재빨리 암컷에게 달려든다. 개는 제자리로 잽싸게 달려온 다음 인간에게 공모해 준 사실에 감사드린다는 듯 줄에 힘을 준다.

에스키모인의 개들은 썰매를 잘 끈다고 귀여움을 받는다. 개들에게 씌운 멍에는 사람을 배반하지 못하게 만드는 도구이다. 그것을 잊는다는 것은 생명을 방치하는 것과 같다. 에스키모인은 개들을 자기 자신을 다스리는 것처럼 다룬다. 깊이 연구할수록, 나는 그들의 사회학을 그들 멍에에 대한 사회학으로 접근시킬 수 있었다. 즉, 사람들도 살고 서로 경쟁하다가 죽는다. 만약 먹을것이 없다면 자거나 기다린다. 애정관계는 한때이다. 늘 불행이 도사리고 있으며 이 사실을 망각하는 것은 그에게 불행의 실마리를 주는 것과 같다. 물론 희망은 있지만 미지수이다. 결정적인 것은 없다. 모든 것은 일시적일 뿐이다.

장 말로리
《툴레 최후의 왕들》

에스키모 민담

시베리아 북동쪽 끝에는 구전으로 잘 알려진 에스키모 부락들이 모여 있다. 1940년, 구소련의 국민학교 여교사가 에스키모인의 민담을 수집했다. 여교사는 에스키모의 일상과 사냥, 그리고 사회조직에 얽힌 흥미진진한 이야기들을 다양하게 수집할 수 있었으며, 그중에는 고아를 주제로 삼은 이야기도 등장한다.

진흙으로 만든 사람

그것은 오래 전에 있었던 일이다. 마을사람들과 함께 어린 소년과 그의 여동생이 살고 있었다. 여동생이 이웃사람들에게 구걸해 얻어 온 음식으로 두 남매는 그럭저럭 끼니를 이어나갔다. 한번은 모든 마을사람들이 순록을 기르는 츄크체스 집으로 가고, 고아 남매만이 마을에 남게 되었다.

소년은 그의 쿠클장카(kukhljanka)에 흙탕물이 튀긴 것을 보고 칼로 쿠클장카에 묻은 진흙을 긁어 냈다. 소년은 진흙을 모아 그것으로 사람을 만들고 활과 화살도 만들었다. 소년은 활과 화살을 진흙으로 만든 사람(lqangiqxaqx)에게 쥐어 주고는 그에게 이렇게 말했다.

"무엇이든지 이곳을 지나가면 그를 죽여라." 소년은 해변에 그를 놓아둔 채 야랑가로 갔다. 도착하자마자 소년은 여동생과 식사를 했고 그런 후에 잠을 잤다. 다음날 아침 소년은 바닷가로 갔다. 바닷가에 도착하자마자 그는 진흙으로 만든 사람에게 투덜대며 말했다. "너는 내 말을 도대체 듣질 않는군. 어제 내가 이곳을 지나가는 것은 무엇이든 죽이라고 말했을 텐데……." 진흙으로 만든 사람이 대답했다 "저기 있는 것이 보이나요?" 소년이 진흙으로 만든 사람이 가리키는 곳을 바라보니 토끼 한 마리가 죽어 있었다. 소년이 그것을 갖고 야랑가로 가자 여동생은 토끼를 자른 다음 그것을 불에 익혔다. 불에 다 익힌 후에 그들은 구운 토끼를 먹었다. 또다시 소년은 해변으로 갔다. 소년이 그곳에 도착했을 때 소년은 순록이 한 마리 죽어 있는 것을 보았다. 소년은 순록을 집으로 가져갔다. 소년이 그것을 여동생에게 전해 주자

18세기 이후 탐험가의 여행기에 에스키모의 생활과 풍습을 전하는 이야기와 그림이 실리기 시작했다.

여동생은 이번에도 순록을 잘라서 그것을 불에 익혔다. 그들은 구운 고기를 먹었다. 배불리 먹고 나서 잠을 잤다. 다음날 아침 잠에서 깨어난 소년은 다시 바닷가로 나갔다. 소년이 도착했을 때 이번에도 진흙으로 만든 사람이 죽인 순록을 볼 수 있었다. 소년은 그것을 집으로 가져갔다. 진흙으로 만든 사람은 날마다 순록을 죽였고, 고아들은 가죽으로 옷을 만들어 입었다. 전에 순록 사육사의 집에 갔던 마을사람들이 다시 마을로 되돌아왔다. 그들이 도착했을 때, 새 옷을 입고 있던 고아 남매는 해변으로 갔다. 순록 사육사 츄크체스 집에서 돌아온 사람들이 해변에 정박했기 때문이다. 그들은 고아 남매를 알아보지 못했다. 사람들은 집으로 가서 그들 자신이 야랑가를 만들었다.

그 같은 일이 있은 후에 고아 남매는 자신들이 직접 순록을 사냥했으며, 그들은 잘 살게 되었다.

이것이 모든 트파이(Tfai)다.

《아시아 에스키모의 민담과 이야기》
국립과학연구소 편, 파리, 1987년

탐험가 샤토브리앙

프랑스 대혁명을 목격한 뒤, 샤토브리앙은 자신에게 잠재되어 있던 탐험가의 자질을 깨달았다. 샤토브리앙은 유명한 북서항로를 발견하고 '자연인'을 만날 결심으로 아메리카로 떠났다.

1822년 4월부터 9월까지 런던에 머물면서 나는 탐험을 계속하고 싶은 마음으로 몹시 초조해하고 있었다. 내가 이곳에서 보고자 했던 것은 미국 사람들이 아니라 내가 알고 지낸 사람들과 다른 어떤 것, 평소 내 생각을 초월하는 어떤 것이었다. 그러나 이러한 계획을 빨리 실행하고 싶어서 마음만 태웠을 뿐, 정작 상상력과 용기 외에는 아무런 준비도 되어 있지 않았다.

북서항로를 발견할 계획을 나름대로 세웠을 당시만 해도 나는 북아메리카가 북극에 잇닿아 펼쳐져 그린란드와 만나는지, 혹은 허드슨만과 베링 해협에 인접한 바다 때문에 막혀 있는지도 알지 못했다. 1772년에 에른이 북위 71도15분, 서경 119도 15분에 위치한 민드퀴브르강 하구에서 시작되는 바다를 발견했다.

태평양 연안에 기울였던 쿡 선장과 그뒤를 이른 항해자들의 노력은 많은 의문점을 남겨 놓았다. 1787년 배 한 척이 북아메리카 근해에 들어갔다는 말을 전해 들었다. 이 배 선장 이야기에 따르면, 캘리포니아 북부에서 연속적인 해안이라 생각했던 것이 사실은 아주 조밀한 열도였다는 것이다. 영국 해군 대장은 이 진술이 거짓임을 입증하기 위해 밴쿠버를 그곳에 파견했다. 밴쿠버의 탐험 이후 두번째 탐험은 아직까지 시도되지 않고 있다.

1791년 미국에서는 매켄지의 항해로가 화젯거리로 떠올랐다. 그는 몽타뉴 호수 상류 치프원 항구에서 1789년 6월 3일에 출발해서 강을 따라 북극해로 내려왔던 것이다. 그뒤부터 그 강은 매켄지라는 이름으로 불렸다.

이 같은 발견으로, 나는 처음에 세웠던 계획을 수정해야만 했다. 곧장 북쪽 길로 접어들어야 할 것 같았다. 하지만 나와

말레세브르 경이 함께 정했던 계획을 변경한다는 사실이 무척 꺼림칙했다. 그래서 나는 캘리포니아만 북쪽에서 북서 해안을 따라서 북서쪽으로 항해하겠노라고 마음먹었다. 그러면 항해중에 항상 대양을 관찰하면서 베링 해협까지 진출할 수 있을 것이다. 그리고 아메리카 대륙 최북단에 있는 마지막 곶을 돌아갈 작정이었다. 그런 후 북극해를 따라 동쪽으로 내려가서 허드슨만과 래브라도해와 캐나다를 통해 미국으로 돌아오기로 결심했다.

엄청나게 많은 시간이 투자될 이번 탐험을 어떻게 실현시킬 것인가? 가능성은 없다.

대다수 프랑스 탐험가들은 외롭고 힘없는 사람들이었다. 정부나 기업이 그들을 고용하거나 지원해 주는 일은 아주 드물었다. 반면, 영국, 미국, 독일, 스페인, 포르투갈에서는 국익을 위한 경쟁 때문에 탐험에 대한 지원이 활발하다. 매켄지와 그의 뒤를 이은 몇몇 탐험가들이 미국과 대영제국을 위해 광활한 아메리카를 정복했던 일은 조국의 영토를 넓히기 위해 바로 내가 소망했던 바였다.

만약 성공한다면 미지의 지역에 프랑스 이름이 붙을 것이고, 태평양에 프랑스 식민지를 건설할 수 있는 영광을 가질 수 있을 것이다. 뿐만 아니라 경쟁 강대국을 제치고 모피무역을 독점해 부를 축적할 수도 있을 것이다. 또한 프랑스가 인도로 가는 최단의 길을 차지함으로써 다른 경쟁국가가 이 길을 개척하는 것을 막을 수 있게 될 것이다. 나는 1796년 런던에서 출판한 《역사론》에서 이 계획을 제안한 적이 있는데, 이 계획은 1791년에 내가 여행기 초고를 쓸 때 이미 착안했던 생각이다. 이 날짜는 최근에 등장한 북극 빙하 탐험가들보다 내가 소망이나 준비작업에서 훨씬 앞서 있었음을 증명해 준다.

나는 필라델피아에서 전혀 용기를 얻을 수가 없었다. 그때부터 나는 첫 여행의 목적이 좌절될 가능성이 크고, 이번 행보가 두번째, 또는 그 이후 여행의 서막일 뿐임을 예감했다.

샤토브리앙
《무덤 저편에서의 회상》

특별한 이야기

1831년 북극, 16세기에 메르카토르가 경험했던 것처럼 에드가 포는 믿기 어려울 만큼 엄청난 광경을 목격했다. 바닷물이 소용돌이치면서 돌진하더니 땅속 깊은 곳으로 빨려 들어가 버렸던 것이다.

주위를 살펴보면서 나는 난생 처음으로 공포에 사로잡혀 있다는 사실에 부끄러움을 느꼈다.

우리를 지금까지 쫓아다니던 태풍 때문에 내가 두려움에 떨지언정, 속된 말로 바람과 대양의 이런 전투 앞에서 공포를 느껴서는 안 되리라. 회오리바람과 열풍이 아무 생각조차 할 수 없게 만든 것일까? 배는 문자 그대로 영원한 밤의 어둠 속으로, 이제는 거품조차 일지 않는 물의 혼돈 속으로 묻혀 버렸다. 하지만 어느 정도 거리를 두고 사방에서 우주의 벽과 같은 거대한 얼음 성벽이 황량한 하늘을 향해 솟아오른 모습이 간헐적이고 흐릿하게나마 다가서고 있었다.

내가 이러한 생각을 했을 때 배는 해류 — 얼음의 틈 사이로 노호하듯 으르렁거리며 밀려드는 조수를 그렇게 부를 수 있다면 — 를 따라 흐르고 있었고, 수직으로 떨어지는 폭포수가 내는 소리만큼이나 큰 벼락치는 소리가 남쪽에서 들렸다.

내가 무엇인가를 두려워할 수도 있다는 사실은 절대 있을 수 없는 일이라고 생각했다. 하지만 이 무시무시한 곳의 신비를 파헤치려는 호기심이 절망 속에서 불쑥 일어났으며 이런 생각만으로도 나는 가장 참혹한 죽음의 양상에 쉽게 적응할 수 있었다. 당연히 우리는 단번에 우리의 마음을 사로잡는 광경을 서둘러 쫓아갔다. 사람들은 죽음과 직결된 이러한 비밀을 서로에게 발설하는 것조차 두려워하는 듯했다. 급류에 밀려 우리는 남극에 이르게 될 것이다. 얼핏 보기에 황당무계한 이 같은 추측이 실제 일어날 수도 있다는 점을 미리 밝혀 두어야겠다.

일행은 떨리고 불안정한 발걸음으로 다리 위를 걸었다. 그러나 모든 사람들의 얼굴에서 절망에 빠진 무기력보다는 희망에 가득 찬 열정을 볼 수 있었다.
그러나 우리 뒤에서는 여전히 바람이 불어왔고 우리가 모든 돛을 펼쳤을 때는 이따금씩 배가 바다 위로 높이 솟구쳤다. 오! 계속되는 이 공포! 갑작스레 얼음이 양쪽으로 갈라지더니 우리는 거대한 동심원을 이루며, 거대한 원형경기장의 가장자리를 따라 빠르게 회전하게 되었다. 광막한 공간과 어둠 속에서 원형경기장의 벽 끝이 보이지 않았다. 그러나 내게는 운명을 꿈꿀 만큼 충분한 시간이 남아 있지 않았다! 원은 점점 빠른 속도로 좁아졌고 우리는 가중되는 혼란 속으로 미친 듯 빠져들었다. 그리고 대양과 태풍의 으르렁대는 소리로 배가 흔들렸다. "오 하느님!" 배는 쓰러지고 …… 마침내 배는 침몰하고 말았다.

에드가 포
《병 속에서 발견된 원고》

최초의 북극 정복자 쥘 베른

1958년, 미국의 노틸러스호가 북극점의 얼음 밑을 최초로 통과했다. 그러나 이미 100년 전, 네모 선장의 노틸러스호는 남극점 밑을 통과했다. 남극점을 정복한 베른은 1889년에 북극을 녹일 계획을 세웠다.

네모 선장이 예견했던 것처럼 우리는 부빙군이 요동치는 표면 아래 약 300m 지점에서 떠다녔다. 그러나 노틸러스호는 더욱 밑으로 잠수해서 800m 깊이까지 내려갔다. 표면온도가 12℃였던 수온은 11℃를 넘지 않았다. 이미 2℃는 번 셈이었다. 열기구의 힘으로 온도를 상승시킨 노틸러스호는 상당히 높은 온도를 유지했다. 모든 조종이 아주 정밀하게 이루어지고 있었다.

조수가 내게 말했다.

"사람이 지나갈 것입니다. 선생께서는 그 점을 탐탁하게 여기지 않으실 테지요."

"그 점은 충분히 예상하고 있습니다."

나는 결연한 어조로 대답했다.

해빙된 바다 아래에서 노틸러스호는

노틸러스호는 꼼짝하지 못하고 정지된 채로 있었다.

52번째 자오선을 벗어나지 않고 곧장 북극으로 가는 길을 택했다. 67도 30분에서 90도까지, 위도상으로는 22도 30분이나 남아 있었다. 2,000km를 더 가야만 했다. 노틸러스호는 급행열차가 달리는 속도로, 평균 시속 40km를 유지했다. 노틸러스호가 이 속도를 유지한다면 북극점까지 40시간이면 충분할 것이다.

밤에 조수와 선실 창문 너머로 바라본 바깥 세상에는 새로운 상황이 전개되고 있었다. 현등(舷燈)이 발하는 불빛 아래서 바다가 빛나고 있었지만 황량하기만 했다. 물고기는 흐르지 않는 물 속에서는 살지 않는다. 남극해에서 극점의 해빙된 바다로 가는 길목에서만 물고기를 볼 수 있었다. 우리는 빠르게 나갔다. 철로 된 긴 선체가 전율하고 있는 듯한 느낌이 우리에게도 그대로 전달되어 왔다.

새벽 2시경 나는 몇 시간 휴식을 취했고 조수가 내 일을 대신했다. 통로를 지날 때 네모 선장을 만나지 못했는데 나는 선장이 조타실에 있을 거라고 생각했다.

다음날 3월 19일 오전 5시, 내 위치로 돌아왔다. 전기 속력 측정기에 나타난 노틸러스호의 속도는 적당했다. 그때 잠수함은 천천히 조심스럽게 표면으로 떠올랐다.

내 가슴은 뛰었다. 우리가 무사히 떠올라서 북극점의 자유로운 대기를 다시 볼 수 있을까?

그러나 실패였다. 둔탁한 소리가 들린 것으로 보아 노틸러스호가 매우 두터운 부빙군에 부딪혔다는 사실을 알 수 있었다. 나는 몹시 놀랐다. 우리는 깊이 300m 지점에서 '가벼운 충돌'을 일으켰던 셈이다. 실제로 우리 위를 600m 두께의 얼음이 가로막고 있었다. 부빙군의 300m는 물위로 솟아올라 있었다. 부빙군은 우리가 그것의 가장자리에서 측정한 것보다 훨씬 두터웠다. 전혀 안심할 수 없는 상황이었다.

하루 종일 노틸러스호는 몇 번이나 동일한 상황에 처했다. 번번이 우리 위의 두터운 빙벽에 부딪히고 마는 것이었다. 한동안은 수면까지 거리가 900m인 순간도 있었다. 이것은 얼음의 두께가 1,200m이고 그중에서 300m는 바다 표면 위로 솟아올라 있음을 뜻했다. 노틸러스호가 해저에 가장 깊게 들어갔을 때 높이의 두 배에 달했다.

주의 깊게 여러 곳의 깊이를 기록했고 그 결과 해저에 펼쳐져 있는 해저산맥이 어떻게 생겼는지 자세히 알 수 있었다.

저녁이 되었지만 우리가 있는 곳에는 어떤 변화도 일어나지 않았다. 항상 400m에서 500m 깊이에 얼음이 있었다. 점차로 거리가 줄어들고 있었지만 수면까지는 상당히 떨어져 있었다.

8시가 되었다. 평소의 항해일정에 따르면 벌써 네 시간 전에 노틸러스호 내부의 공기가 교체되어야 했지만, 네모 선장이 창고에 산소 공급을 요청하지 않았음에도 나는 그리 고통스럽지 않았다.

오늘밤 나의 잠자리는 고통의 연속이었다. 희망과 두려움이 차례로 엄습했다. 나는 계속해서 스스로를 독려했다.

노틸러스호는 계속해서 천천히 전진했다. 새벽 3시경, 부빙군 아래쪽 표면이 겨우 50m쯤 되는 깊이임을 확인했다. 그때 우리는 정확히 수면에서

45.72m 떨어져 있었다. 부빙군은 점차로 빙원을 재형성하고 있었고 산은 다시 평원을 이루었다.

우리는 전기 불빛 아래에서 대각선 방향으로 반짝이는 표면을 따라서 거슬러 올라갔다. 부빙군은 길게 펼쳐진 비탈을 따라 상하 모두 얇아졌다. 2km씩 앞으로 나아갈수록 더욱더 얇아졌다.

결코 잊을 수 없는 3월 19일 오전 6시, 선실 문이 열리고 네모 선장이 나타났다. "드디어 해빙된 바다에 도착했네."라고 그가 말했다.

쥘 베른
《해저 2만리》

그가 달을 탐험한 지 20년 후, 군 클럽 탐험대는 간단하게 북극의 얼음을 녹일 계획을 세웠다. 이것은 거대한 대포를 후퇴시켜 세계 축의 방향을 바꾸면서 풍부한 지하자원을 개발하기 위한 시도였다.

"결국 아무리 노력하고 용기가 있다 해도 84번 위선을 통과한 사람은 아무도 없었습니다. 더욱이 부빙군까지 배로 간다거나 얼음 평원을 뗏목으로 건넌다거나 하는 지금까지의 방법으로는 결코 그 일을 해낼 수 없으리라는 것이 분명합니다. 사람이 그런 위험을 무릅쓰거나, 그처럼 낮은 기온을 참아 낸다는 것은 있을 수 없습니다. 따라서 북극 정복을 위해서는 다른 방법을 강구해야 합니다!"

청중이 동요하는 것으로 보아, 이 말 속에 핵심이 있고 모든 사람들이 열망하는 비밀이 있음을 알 수 있다.

"그러면 어떻게 당신은 그곳에 가실 생각입니까?"

"189?년인 올해, 미국 정부는 발견되지 않은 극지 주변 지역 입찰을 제안하겠다는 예기치 않은 계획을 입안하고 있었다."

영국 대표가 물었다.

"도넬랑 사령관님, 이제 10분만 지나면 모든 것을 아시게 될 것입니다."

바르비칸 위원장이 대답했다. 뒤를 이어 내가 후원자들에게 호소하다시피 덧붙였다.

"우리를 믿으십시오. 이번 일을 추진한 사람들은 바로 첨단 원통형 로켓에 탄 사람들입니다."

틴 투드링크가 소리쳤다.

"그들은 감히 달까지 가는 모험을 감행했습니다."

"그런데 그들이 그곳에서 돌아올 수 있을지 잘 판단해야 합니다."

도넬랑 사령관의 비서가 한마디 덧붙였는데, 이 신중하지 못한 의견은 격렬한 항의를 받았다.

쥘 베른
《뒤범벅이 되어》

오늘날의 남극

1959년 이후 남극의 지위는 국제조약에 따라 정의되었다. 이 조약에 따라 여러 국가의 다양한 요구가 중단되었고, 서명국들은 긴밀한 협조체계 아래 국제 지구관측년의 조사연구를 추진했다.

남극조약

아르헨티나, 오스트레일리아, 벨기에, 칠레, 프랑스, 일본, 뉴질랜드, 노르웨이, 남아프리카공화국, 러시아, 영국, 북아일랜드와 미국.

전인류의 이익을 위해 남극은 평화적인 목적에 따라 항구적으로 이용되어야 하며, 국제분쟁의 현장이나 그 대상이 되어서는 안 된다는 사실을 인식한다.

남극에서 국제적 협력 아래 과학적 연구를 통한 과학분야의 진보를 증대해야 함은 인정한다.

국제 지구관측년 동안 실시되었던 것처럼 남극에서 자유롭게 과학적 연구를 수행할 수 있다는 사실에 기초해서 건실한 조직을 세워 협력을 추구하고 진전시킬 수 있다면 바로 이것이 과학적 관심과 인류 발전에 공헌하는 일이라고 확신한다.

남극이 오로지 평화적인 목적에만 이용되고 국제적인 화합의 장소로 존속되어야 한다는 조약은 UN헌장의 의도와 원칙에 의거하는 것임을 확신한다.

다음과 같이 동의한다.

제1조

1. 남극에서는 오직 평화적인 행위만이 허용된다. 그중에서도 특히 기지 설립, 요새 건설, 군사행동, 모든 종류의 무기 실험과 같은 군사적 성격을 갖는 모든 조치는 금지한다.
2. 본조약은 과학적 연구나 평화적 목적을 위해, 군대의 인적, 물적 자원을 이용하는 것에는 반대하지 않는다.

제2조

남극에서 과학적 연구의 자유와 연구의 목적에 협조하는 일이 국제 지구관측년 동안 실행되었던 것처럼 과학적 연구는 본조약의 규정에 따라 앞으로 계속 추진될 것이다.

제3조

1. 남극에서의 과학적 연구에 관한 국제협력을 강화하기 위해서 본조약 제2조에서 정해진 것과 같이 조약 당사국들은 가능한 모든 조치를 취해 다음의 일을 진행시키는 데 동의해야 한다.
   a. 방법상의 효과와 활동의 능률을 최대화하기 위해 남극에서의 과학적 연구 계획에 관한 정보 교환
   b. 탐험대와 이 지역에 위치한 기지 사이의 과학인력의 교환
   c. 자유롭게 활동하게 될 남극에서의 연구과정에서 획득된 과학적 결과와 의견의 교환
2. 본규정을 시행할 때, UN의 특별기구나 남극에 대해 과학적, 기술적 이익을 제공하는 다른 국제기구들과 업무관계에서 협조하는 일은 모든 면에서 장려될 것이다.

제4조

1. 본조약의 어떤 규정도 다음과 같이 해석되어서는 안 된다.
   a. 어떤 조약 당사국 측에서도 남극에서 이전에 확보했던 영토주권이나 영토요구권에 대한 포기를 결정할 권한을 갖고 있다.
   b. 어떤 조약 당사국 측에서도 자국의 독자적인 행동이나, 남극에 있는 자국민의 행동, 그리고 다른 모든 이유의 행동의 결과 발생할 남극에서의 영토주권의 기본적 요구를 부분적, 전면적으로 포기할 수 있다.
   c. 남극에서 주권이나 다른 모든 국가의 요구나 주권의 기본적 요구에 대한 당사국의 인정이나 거부가 있을 때 이는 조약 당사국 각자의 지위를 침해하는 것이다.
2. 본조약이 지속되는 동안 발생하는 어떤 행위나 활동도 남극에서 영토주권의 요구를 평가하게 만들거나 지지하거나 부인하는 근거가 되지 않을 것이고, 이 지역에서 주권을 새롭게 만들지 않을 것이다. 어떤 새로운 요구나 전에 확실시되었던 영토주권 요구의 확장도 본조약이 지속되는 동안에는 거론되지 않을 것이다.

제5조

1. 남극에서 모든 핵실험을 금지한다. 아울러 이 지역에 방사성 폐기물을 매립하는 행위도 금한다.
2. 모든 조약 당사국이 참여할 국제조약이 체결될 경우, 대표국은 핵에너지의 사용, 핵실험, 방사성 폐기물의 매립에 관한 제9조에서 정한 회의에 참석할 자격을 부여받는데, 남극에서는 이러한 조약을 통해 체결되는 규약이 적용될 것이다.

제6조

본조약의 규정은 빙붕(氷棚)을 포함한 남위 60도 이남에 위치한 지역에 적용된다. 그러나 본조약의 어떤

규정도 한정된 지역에 있는 공해에 대해서 국제권을 통해 모든 나라에 인정된 권리나 권리의 시행에 어떤 식으로든 침해하거나 피해를 입혀서는 안 된다.

(이후 7개 조항은 조약의 실행조건을 규정하고 있다.)

제14조

영어, 프랑스어, 러시아어, 스페인어로 작성된 본조약의 각 번역본은 공히 인정된 후 미합중국 기록보관소에 보관될 것이고, 이곳에서 인준된 사본은 서명국 또는 회원국 정부에 송달될 것이다.
위의 사실에 의거해서 아래 서명할 권한을 정식으로 부여받은 전권사절들이 본조약에 서명했다.
1959년 12월 1일에 워싱턴에서 체결됨.

오늘날(1991년 6월) 39개국이 이 조약에 서명했다.

오늘날의 남극 연구 조직

이 모든 사업을 실행하기 위해 1,000여 명의 사람들이 남극대륙에서 겨울을 보낸다. 대개 이곳의 인구는 하절기에 급격히 늘어난다. 더욱이 독일, 폴란드, 인도, 중국 같은 새로운 가맹국들이 다른 나라의 기지 근처에 연구기지를 세웠다. 세틀랜드의 킹조지섬에는 7개국이 세운 7개의 기지가 있다. 국제 지구관측년 정신과 효율성을 고려하여, 국제위원회 SCAR(Scientific Committee for Antarctic Research, 남극 연구 과학위원회)는 이러한 계획들을 조화롭게 조정해야 한다. 이 기구는 가장 최근에 회원으로 가입한 중국과 인도를 포함해 현재 18개국 대표로 구성되어 있다. 남극 연구 과학위원회는 결정권은 없지만, 과학적 연구 이외에도 남극과 관련된 다양한 영역에서 중요한 역할을 맡고 있다. 프랑스인은 위원회에서는 두 번이나 위원장으로 선출되었다. 1958년부터 1963년까지는 국립 지리연구소장을 역임한 조르주 라클라베르가, 1986년 6월에는 빙하학자인 클로드 로리위스가 위원장으로 선출되었다.

미국은 국제 지구관측년(1957~1958) 동안 방대한 극지 탐사 계획을 수행했다. NSF(National Science Foundation, 국립과학재단)에서 극지 개발과 관련된 사업을 담당하는데, 현재는 남반구의 파머 기지, 남극의 아문센 - 스콧 기지, 맥머도 기지를 포함해 세 개의 남극기지를 운영중이다. 이중에서 맥머도 기지는 하절기가 되면 거주인구가 800명에 이르게 된다. 쇄빙선이 해상운송을 담당하는 화물선과 유조선을 1년 내내 호송한다. 사람들과 일부 장비는 크라이스트처치의 비행기로 뉴질랜드에 도착한다. 남쪽에 봄이 시작될 무렵, 미국인은 바퀴 달린 커다란 화물 비행기인 C141과 스키를 갖춘 비행기 허큘레스를 타고 로스 빙붕 위에 있는 맥머도 활주로와 바다 얼음 위의 활주로에 착륙한다. 11월 말이면 얼음상태가 악화되어 바퀴 달린 비행기의 이착륙이 금지되므로, 2월 말까지는 허큘레스만을 볼 수 있다.

러시아에서는 레닌그라드의 남북극학회가 일곱 개의 기지를 운영하고 있는데, 그중에서 주요 기지인 몰로데즈나야에는 한파를 피해 150명에 이르는 사람들이 몰려들기도 한다.

푸앙트제올로지 군도에 있는 프랑스의 뒤몽 뒤르빌 기지.

러시아 팀은 유조선 두 척과 탐사선 두 척, 화물선 다섯 척을 보유하고 있는데, 모든 선박은 얼음을 헤치고 항해할 수 있도록 설계되었다. 인원과 장비를 수송하기 위해서, 러시아는 몇 년 전부터 아덴을 경유해 레닌그라드와 몰로데즈나야로 가는 항로와 모잠비크의 마푸토를 왕래하는 항공로를 개설했다.

1992년 1월, 프랑스 정부는 프랑스 극지탐험대와 프랑스 남반구 · 남극대륙 연구소의 권한을 계승, 확대한 극지연구소를 창설했다. 이 연구소는 남극대륙에서처럼 북극에서도 과학적 연구를 수행할 임무를 갖고 있다. 그 결과 연구소는 어류학회의 극지 항해 선박 아스트로라브호, 뒤몽 뒤르빌 기지, 앞으로 완공될 비행기 활주로 등을 사용할 수 있는 권리와 몇 가지 과학장비를 갖추게 되었다.

현재 연구소는 아델리 랜드 서쪽 3,000m 고지에 연구기지를 설립할 준비를 하고 있다. 유럽식으로 건설될 이 기지는 1995년에 이르러야 활용할 수 있을 것이다. 국제적으로 명망 있는 빙하학자 클로드 로리위스가 극지연구소의 초대 소장으로 선임되었다.

현재 항공 운송수단은 없지만, 미국의 병참학 정보에 의존하지 않고도

지리학상 남극점에 위치한 아문센 - 스콧 미국 기지 입구.

호바트에서 사람을 운송하고 유럽 대륙 내부의 계획에 참여하게 될 것이다. 또한 1993년 말에는 1,100m의 비행기 활주로가 뒤몽 뒤르빌 기지 근처에 만들어질 것이다. 미국 파견대는 스키 장비를 갖춘 커다란 허큘레스 화물 비행기로 극점에서 20km 정도 떨어진 만년설 위에 착륙할 수 있음을 증명했다. 모든 조건, 특히 폭풍설로 발생할 수 있는 고장에서 안전해야 한다는 조건을 충족시키려면 바퀴나 스키를 장착하지 않고 이착륙할 수 있는 STOL(단거리 이착륙기)을 갖추어야 할 것이다.

영국에서는 영국 남극조사단이 1967년부터 FIDS(Falkland Islands Dependencies Survey)로 바뀌었다. 이 기구는 환경성의 후원을 받아 과학적 연구와 활동을 전개하고 있다. 영국인은 남극대륙에 지구물리학 관측소 세 곳, 남극 섬들에 생물학 기지 세 곳과 기상학 기지 한 곳을 운영하고 있다. 영국의 기지들은 브랜스필드와 존 비스코라는 두 척의 극지용 선박과 쌍발기 오터를 세 대 갖추고 있다.

독일은 남극대륙 연구에 새로 두각을 나타내기 시작했다. 연구기술부는 1980년 브레머샤벤에 북극과 남극을 연구하기 위해 알프레트 베게너 연구소를 창설했다. 1년 후 연구소는 웨들해 동쪽 입구에 게오르크 폰 노이마이어 기지를 개설했다. 그리고 나서 1982년 독일은 2만 마력의 모터로 추진되는 1만 1,000톤 급 극지용 선박 폴라스테른호를 취항시켰다. 이 배에는 100여 명의 연구자들을 수용할 수 있는 선실과 실험실이 있다. 해양학에 관한 중요 연구가 헴펠 교수의 지도로 웨들해에서 현재 외국 연구자들과 공동으로 진행되고 있다. 현재는 여러 나라의 사람들로 구성된 독일 조사단은 웨들해 안쪽 필히너 빙붕을 대상으로 삼아 빙하학을 연구하고 있는데, 로스 빙붕처럼 이곳의 얼음 면적은 거의 프랑스 넓이만큼 되고, 두께는 수백 미터에 이른다. 이 연구는 남극 서쪽의 모든 내륙 대빙원이 계속 존재할 것인가, 그렇지 않으면 사라질 것인가를 결정짓는 중대한 역할을 할 것이다.

일본은 국제 지구관측년에 몰로데즈나야에서 서쪽으로 210km 떨어진 지점에 쇼와 기지를 건설하면서 남극으로의 진출에 박차를 가해 몇 년이 지난 후 2,230m 고지에 미주호 기지를 건설했다. 일본은 1965년에 접근하기 어려운 지역에 위치한 그들의 기지에 물품을 보급하고 해양학 연구를 수행할 수 있는 5,000톤 급 극지용 선박 후지호를 취항시켰다.

1982년 일본은 후지호를 현재 운항되는 미국의 쇄빙선만큼 강력한 배인 시라세호로 교체했다. 시라세호는 배수량이 1만 2,000톤이며, 3만 마력의 모터를 갖추고 있다. 1968~1969년 사이 일본은 쇼와 기지에서 남극점을 왕복하는 어려운 탐험에 성공했다. 탐험로는 해발 3,700m에 이르는 남극대륙의 오지였는데, 왕복거리는 5,200km에 이르렀다. 이 탐험을 성공적으로 수행하기 위해, 일본은 특수 엔진이 장착된 무한궤도차를 고안, 제작했다. 141일 간이나 지속된 탐험 기간 동안 지구물리학자들과 빙하학자들은 차 안에서 생활하며 연구를 병행했다.

결국 1991년까지 17개국에 의해 49개의 기지를 건설되었다(여기에 그린피스가 관리하는 기지를 추가해야 한다). 그러나 가끔 유감스러운 점이 드러난다. 이것은 혼곶 남쪽 킹조지섬에 6개국이 불과 수십 킬로미터 떨어진 곳에 각국의 기지를 건설했다는 점이다.

정부 차원에서 진행하는 과학적 탐사활동 이외에 산업활동은 전면 금지되고 있다. 단 하나의 예외를 들자면 어로활동을 살펴볼 수 있다. 풍부한 크릴새우잡이가 활발히 벌어지고 있고, 고래잡이는 지난 한 세기 동안 무책임하게 남획한 결과 제한적으로 허용되고 있다. 남극조약에 따라 남극대륙과 남극해의 동물, 식물은 철저히 보존되고 있다.

오염과 쓰레기 처리 문제 또한 심각한 현안이다. 얼음 속에 묻어 놓은 쓰레기는 썩지 않고 그대로 보존되며, 빙하 위에 방치된 쓰레기는 바람에 날려 광범위한 지역으로 흩어질 것이기 때문이다. 가맹국들은 분뇨나 음식물 찌꺼기 따위 각종 쓰레기를 다른 곳으로 운송해 처리하는 것을 원칙으로 하고 있다.

1991년에 제기된 가장 중요한 논제는 향후 최소 50년 간 석유 따위 천연자원의 개발을 금지하자는 것이다. 마침내 39개 가맹국 전체의 찬성으로 천연자원 개발 금지안이 받아들여졌다.

베르트랑 앵베르
스콧 극지연구소와 영국 남극조사단 자료에서 발췌

오르카다스 기지
(아르헨티나)
사나에 기지(남아
게오르크 폰
노이마이어 기지(독일
핼리 기지(영국)
헤네랄벨그라노 기지
(아르헨티나)
남 극 권
30°
60°
70°
80°
90°W
120°
150°
1000 m
1500 m
2000 m
0
500
1000
1500
Km
1 아르크토프스키 기지(폴란드)
2 테나엔테 후바니 기지(아르헨티나)
3 벨링스하우젠 기지(러시아)
4 테니엔테 로돌포 마르시 기지(칠레)
5 아르투로 프라트 대위 기지(칠레)
6 페라스 함장 기지(브라질)
7 아르티가스 기지(우르과이)
8 세종 기지(한국)
9 만리장성 기지(중국)
10 에스페란사 기지(아르헨티나)
11 베르나르도 오히긴 기지(칠레)
12 마람비오 기지(아르헨티나)
13 파머 기지(미국)
14 패러데이 기지(영국)
15 로서러 기지(영국)
16 산마르틴 장군 기지(아르헨티나)

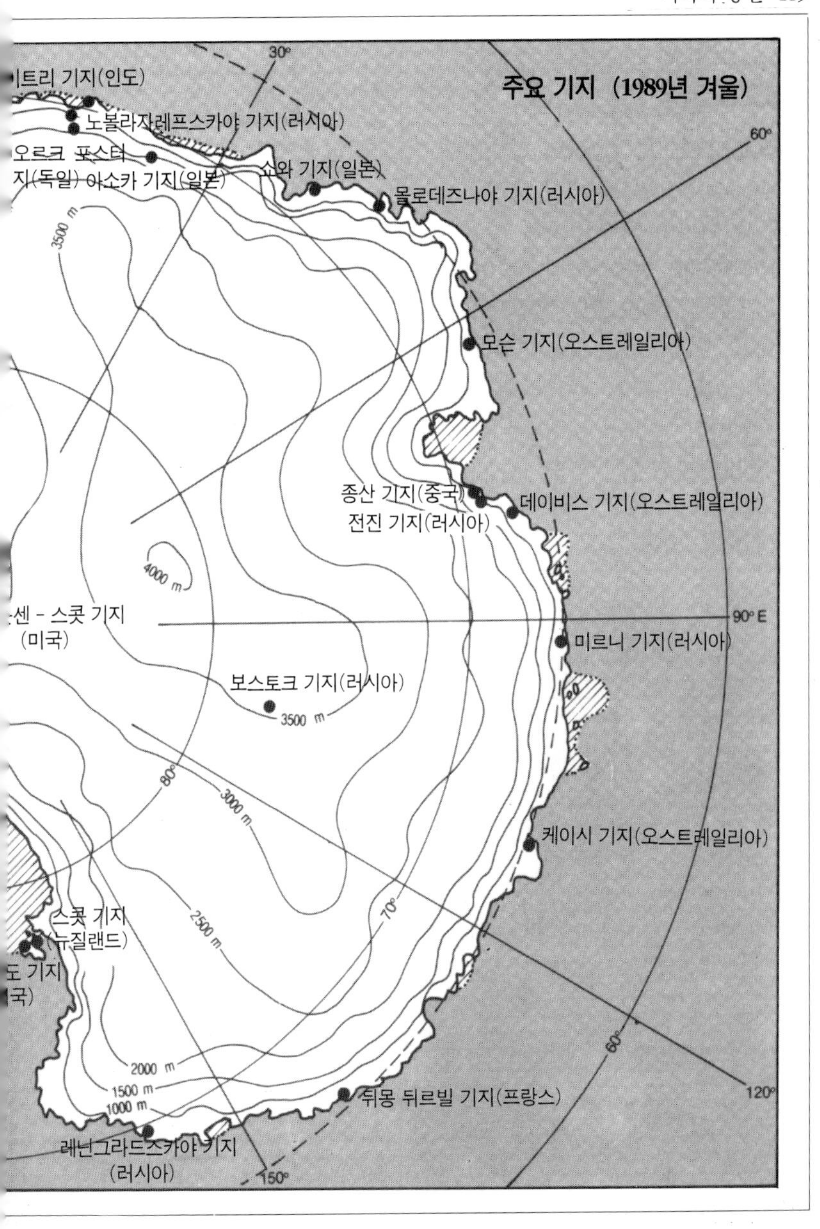
주요 기지 (1989년 겨울)
트리 기지(인도)
노볼라자레프스카야 기지(러시아)
오르크 포스터
지(독일)
아소카 기지(일본)
쇼와 기지(일본)
몰로데즈나야 기지(러시아)
모슨 기지(오스트레일리아)
종산 기지(중국)
전진 기지(러시아)
데이비스 기지(오스트레일리아)
센 - 스콧 기지
(미국)
미르니 기지(러시아)
보스토크 기지(러시아)
케이시 기지(오스트레일리아)
스콧 기지
(뉴질랜드)
도 기지
국)
뒤몽 뒤르빌 기지(프랑스)
레닌그라드스카야 기지
(러시아)
30°
60°
90° E
120°
150°
80°
70°
60°
3500 m
4000 m
3500 m
3000 m
2500 m
2000 m
1500 m
1000 m

남극의 얼음

1955년까지도 남극의 빙원에 관련된 정보가 거의 없었다. 그후 얼음 부피가 약 3,000만km^3이며, 이것이 지구에 존재하는 민물의 70%를 차지한다는 사실이 밝혀졌다. 다국간의 협력 아래 빙원에 대한 연구가 활발히 진행되고 있다.

깊은 곳에서 채취한 얼음과 얼음에 함유된 불순물을 분석함으로써 우리가 사는 대기환경의 변화를 추적할 수 있게 되었다.

지난 한 세기 동안 쌓인 얼음층에서 우리는 화산이 분출했던 흔적과 우주에서 일어난 사건의 열쇠와 핵폭발에서 발생한 방사성 낙진을 발견할 수 있다. 얼음 속에 보존되어 있는 산업화시대 이전의 대기 성분을 조사해 보면, 인간의 활동으로 야기된 환경오염의 전면모를 확인할 수 있다.

더 깊은 곳을 시굴해 보면 우리는 다양한 기후변화의 단계를 규정할 수 있다. 예를 들어 약 1만 년 전부터 지구가 경험했던 더운 기후와 비교해 볼 때, 1만 8,000년쯤 전에 절정에 달했던 빙하기 동안의 기온은 명백히 낮았음을 알 수 있다. 현대 기후의 특징은 우리 환경에 매우 위험스러운 변화가 포함되어 있다는 점이다. 다시 설명하면, 대기 중의 이산화탄소 함유량이 크게 증가했고, 연무질 증가 또한 눈에 띌 정도로 빨라졌다는 것이다. 그와 비교해서 해빙기 동안 빙원은 상대적으로 안정을 유지했다.

얼음의 역학

중력의 작용으로 빙원 위에 연속적으로 쌓인 눈은 해안으로 이동하면서 점점 얇아지며 얼음으로 변한다. 이로써 눈은 서서히 바다로 배출됨을 알 수 있다.

국제 지구관측년(1957~1958) 동안,

남극 연구 과학위원회 위원장을 역임한 클로드 로리위스가 국제 빙하연구계획에 따라 러시아 기지인 보스토크 기지에서 얼음견본을 조사하고 있다.

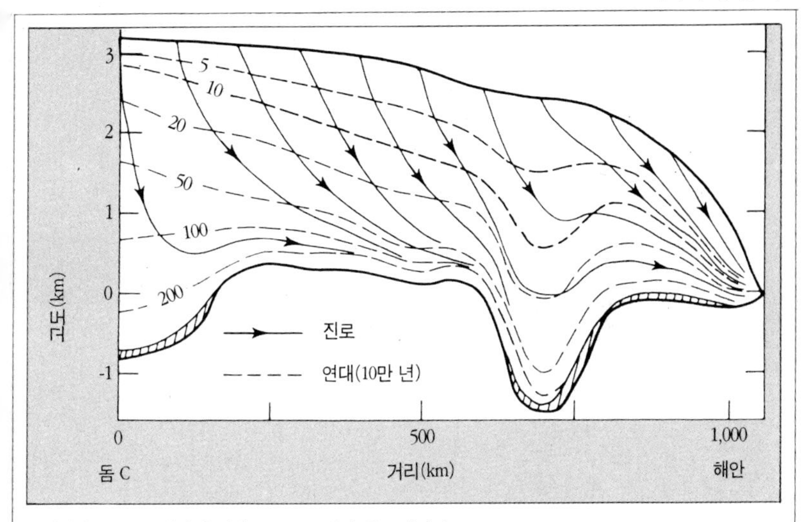

해안에서 1,200km 떨어진 해발 3,000m 고지의 돔 C 지점과
뒤몽 뒤르빌 기지 사이에서 벌어지는 얼음의 유동에 관한 모의실험을 통해
얼음의 진로를 예측할 수 있다.

빙하 돌출부를 기준점으로 삼아 대륙 연안 빙하의 움직임을 측량할 수 있었다. 측지위성의 발사 이후에는 남극대륙 안에서 이루어지는 빙하의 이동속도도 도플러 효과를 이용해서 측정할 수 있게 되었다. 그곳에서의 속도는 매우 느리지만(연간 약 1m), 연안으로 갈수록 점차 빨라져 바다로 떨어져 나갈 무렵에는 연평균 100m 정도로 이동한다.

가장 활발히 움직이는 빙하와 빙붕은 연간 1.6~3.2km 전진한다. 기본적으로 빙산의 형태로 대륙에서 배출되는 얼음의 양은 연간 약 2,300km³ 정도에 달하며, 이 얼음의 거의 절반은 아메리 빙붕, 필히너 빙붕, 로스 빙붕 세 곳에서 나온다.

남극대륙 빙원이 증가하고 감소하는 양이 균형을 이루고 있지 않다는 사실을 입증할 만한 충분한 자료는 없다. 그러나 대륙 표면의 등고선이 측정되고, 빙원 밑의 바위층에 대한 정보가 정리되고, 내륙 대빙원에서 떨어져 나오는 얼음의 양을 추론해 볼 만한 모델을 구성하게 도와 줄 적설량이 정확히 측정된다면, 이러한 사실도 이론적으로 설명될 수 있을 것이다.

대기환경의 연구 보고

국제 지구관측년 때부터 빙원을 굴착하여 깊숙한 곳에 있는 얼음견본을 수집하고 연구하기 시작했다. 이것은 굴착기술의 발전과 연구실에서의 시료 분석기술이 진보함으로써 가능할 수 있었다.
얼음견본은 눈이 입상빙설이 되는 과정과 입상빙설이 얼음(대륙 중심부 수백 미터 깊이에서 채취된 얼음 중에는 밀도가 0.82라고 보고된 것도 있다)이 되는 과정을 파악하는 데 사용되는 한편, 이 물질들의 가소성에 관한 연구에도 이용된다.

얼음의 성분과 그 속에 포함된 불순물 — 오랜 세월 동안 쌓여 온 — 에 관한 연구는 지구 기후 변화의 '연대표'를 제공하며, 인간의 활동이 대기의 성분에 어떤 영향을 미쳐 왔는지를 가늠할 수 있게 해준다.

지난 170만 년 간 지구의 기온은 빙하기(이 기간은 북반구의 대륙에서 거대한 빙원이 형성되고 바다의 수위가 약 100m 정도 낮아졌다는 점에 있다)와 그보다 짧은 동안 지속된 따뜻한 시기 — 오늘날의 인류가 살고 있는 시기처럼 — 사이에서 불규칙적으로 변화했다. 오늘날 대기의 성분은 심각한 변화를 겪고 있는데, 그것은 특히 인간활동에서 발생하는 이산화탄소의 방출과 깊은 연관을 맺고 있다.

오늘날 사람들은 눈을 크게 뜨고 대기상태를 감시하고 있다. 그러나 관측자료는 기껏해야 20년 정도 분량이 쌓여 있을 뿐이다. 오직 빙하에 담겨 있는 기록만이 유용한 전망을 가능하게 해주고, 대기변화의 주요 요소와 메커니즘을 보여 주어, 대기의 기상학적 요소와 화학적 요소를 재구성할 수 있게 도와 줄 것이다. 마지막 빙하기에 관련된 정보 따위 오늘날과 판이한 기상조건에 관련된 자료이든 산업화 초기와 관련된 자료이든 얼음 속에 숨어 있는 귀중한 정보는 앞으로의 예측을 가능하게 해주어 기후 모델을 구성할 수 있게 해줄 것이다.

견본 추출기법

최근 몇 십 년 동안 쌓인 얼음층에서 견본을 추출하는 것은 어렵지 않다(10m 정도 파 내려가면 견본을 얻을 수 있다). 더 깊은 곳을 굴착하기 위해서는 더욱 정교한 굴착기가 동원되어야 한다. 100m까지(지난 1,000년 동안의 변화를 알려 주는) 굴착하면서 날이 달린 회전식 드릴이나 끝에 얼음을 녹이기 위해 따뜻한 저항선을 설치한 관으로 견본을 추출한다.

밑으로 내려갈수록 표본 채취는 더욱 어려워진다. 추출물이나 아웃워시(outwash, 빙하에서 흘러내린 퇴적물)의 회수가 힘들 뿐만 아니라, 얼음의 형태가 변해 구멍이 막힐 수도 있기 때문이다. 그때는 굴착이 불가능해지며, 깊이 1,000m(약 2만 년 전, 최종 빙하기에 쌓인 얼음이 이 지점에서 발견되었다)에 이르면 더욱 정밀한 굴착기가 동원되어야 함은 물론, 굴착용 유액을 흘려 넣어야 한다.

미국의 버드 기지, 러시아의 보스토크의 기지, 프랑스의 돔 C 조사단의 경우처럼, 이런 종류의 굴착을 수행하기 위해서는 수십 톤에 달하는 장비가 투입되어야 한다.

클로드 로리위스
《발견의 왕국지(誌)》 1984년 8월호

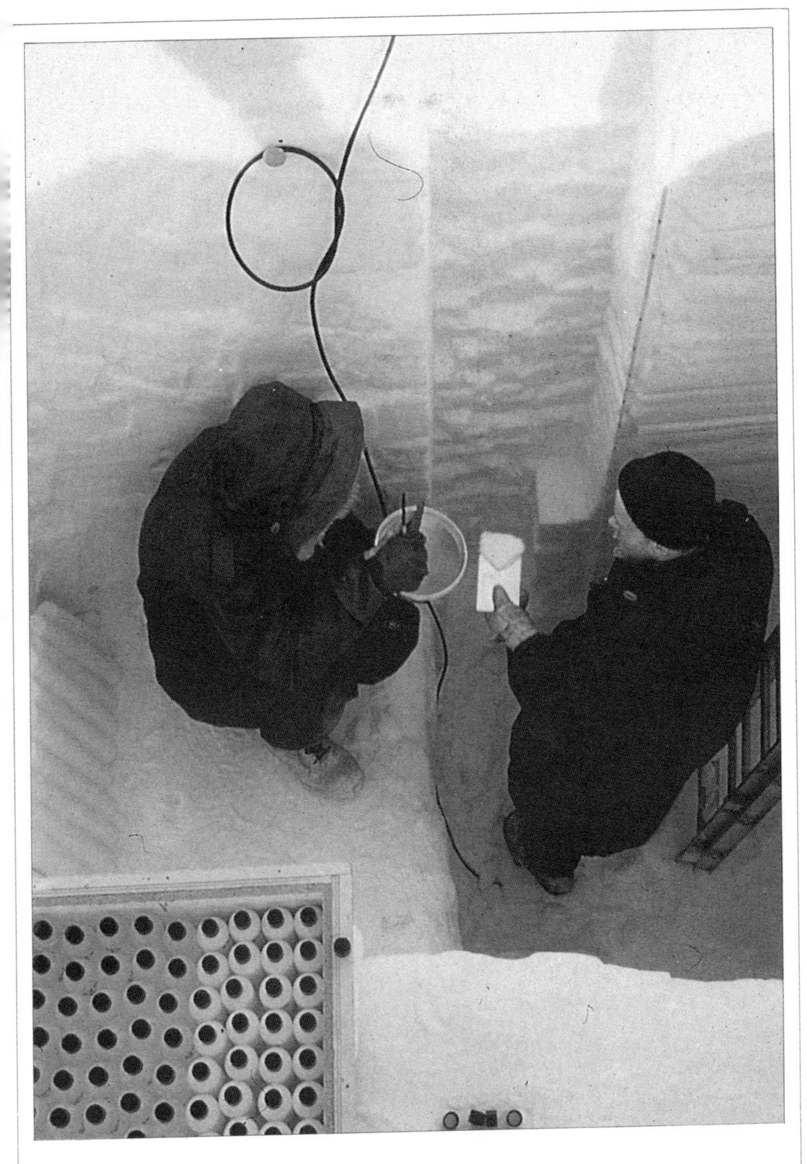

현장연구원 두 명이 굴착구멍 속에 들어앉아 얼음견본을 조사하고 있다.

북해상로

북서항로(Northwest Passage)는 거의 사용되지 않는 반면, 소련이 북해상로(Northern Sea Route)라고 새로 이름붙인 북동항로(Northeast Passage)는 대대적인 투자를 통해 현재는 경제적, 전략적으로 중요한 역할을 수행하고 있다.

1932년은 주목할 만한 해이다. 구소련의 시비리아코프호가 두 달에 걸쳐 북해상로를 항해했다. 이를 치하한 스탈린은 그로부터 3개월 후 다음과 같은 법안을 통과시켰다.

1. 인민위원회 내부에 북해상로 중앙관리부(GUSMP)를 조직한다. 이 부서는 백해에서 베링 해협에 이르는 항로를 관리하는 책임을 맡는다. 중앙관리부는 부대시설과 그것의 유지, 안전한 항해를 보장하는 데 필요한 필수품 조달도 관리한다.
2. 북극 해안과 섬에 있는 모든 무선기지와 기상대는 북해상로 중앙관리부의 관할 아래에 놓인다.

최근에 시비리아코프호를 타고 횡단에 성공한 오토 슈미트가 이 부서의 책임자로 임명되었다. 이후 슈미트의 권한은 북극지역 항구 관리, 지질학 연구와 광산 개발에까지 확대되었다.

해상교통은 서쪽 카라해에서는 오브강과 예니세이강, 동쪽 구역에서는 레나강과 콜리마강부터 베링 해협까지

수천 명의 전문가들이 북해상로를 관리하고 있다. 러시아는 극지용 화물선과 가장 큰 쇄빙선을 보유하고 있으며 그곳에 항구, 비행장, 기상대 등의 부대시설을 잘 구비해 놓았다.

북해상로를 따라 시베리아 횡단철도가 새로 완성될 것이고, 러시아 쇄빙선의 호위를 받으며 특별 화물선이 전세계의 화물을 싣고 다닐 것이다.

개발되었다. 1940년에는 연간 운송량이 100톤에서 30만 톤에 이르던 것이 오늘날에는 400만 톤에 육박하는 것으로 추산되었다.

1977년 8월, 구소련은 아르크티카호가 북극점에 도착했다고 발표하여 세상을 놀라게 했다. 이 배는 최초로 바다에 뜬 채 북극점에 도달했는데, 평균 11.5노트 속도로 왕복항해에 성공했던 것이다. 쇄빙선 시비르호는 노바야젬랴와 뉴시베리아 섬들의 북쪽을 지나가는 화물선을 호위했다.

이 강력한 핵쇄빙선은 어떤 지역이라도 항해할 수 있다. 많은 배들 특히 화물선들이 얼음의 압력 때문에 곤경 — 지금도 부빙의 상태를 정확히 예측하기가 어렵다 — 에 처했던 지역에서 자유롭게 활동할 수 있는 것이다. 실제로 시즌이 끝날 무렵 1983년 10월, 51척의 배가 베링 해협 서쪽에서 880km 떨어진 페베크 북쪽의 부빙군에 갇히게 되었다. 이때 세 척의 핵쇄빙선이 이 지역에 급파되었고 한 달 동안 작업을 해서 떠내려간 한 척의 배를 제외하고는 모두 구조했다. 그러나 그중 30척의 배는 파손되고 말았다.

보다 강력한 배를 건조하겠다는 계획이 현재 진행되고 있다. 따라서 언젠가는 해안을 따라가는 항로보다 훨씬 짧은 1,130km에 달하는 직선항로를 통해 북극점을 횡단하며 운항할 수 있을 것이다.

테렌스 암스트롱의 글에서

쇄빙선

오늘날에는 쇄빙선과 극지용 화물선이 북극해와 북극지역 강에서 화물 운송을 돕는 주요 수단이 되었다. 세계에서 가장 큰 북극선단을 보유한 러시아는 쇄빙선 18척과 극지용 화물선 300여 척을 소유하고 있다. 두번째로 큰 북극선단을 보유한 국가는 미국과 캐나다이다.

1만 마력을 자랑하던 예르마크호(왼쪽 아래)는 1898년에 건조되었다. 러시아 최초의 쇄빙선인 예르마크호는 1963년까지 운항되었다.

1973년에 건조된 폴라스타호(위)와 1975년에 건조된 폴라시호는 길이가 122m이고, 125명의 승무원과 13명의 장교가 승선하고 있다. 가장 현대적인 미국의 쇄빙선이다.

소련의 핵쇄빙선 시비르호(오른쪽)가 극지용 화물선을 위해 북해상로의 부빙군을 뚫고 수로를 개척하고 있다.

뛰어난 기능을 갖춘 폴라스테른호(아래)는 함부르크에 있는 알프레트 베게너 연구소 소유이다. 폴라스테른호는 북극과 남극에서 진행된 과학적 탐사에 동원되었다.

북극해

북극해는 두께 3~4m 의 해빙(海氷)으로 덮여 있다. 해빙은 바람과 조수와 해류의 영향을 받아 천천히 떠밀려 간다. 여름에는 해빙의 표면이 녹아서 일시적으로 여러 곳에 수로가 형성된다. 그런데 오존층 파괴에 따른 온실효과가 계속되어 지구의 평균기온이 5℃~8℃ 정도 현저하게 상승한다면, 일년 내내 북극해를 항해할 수 있게 될 것이다.

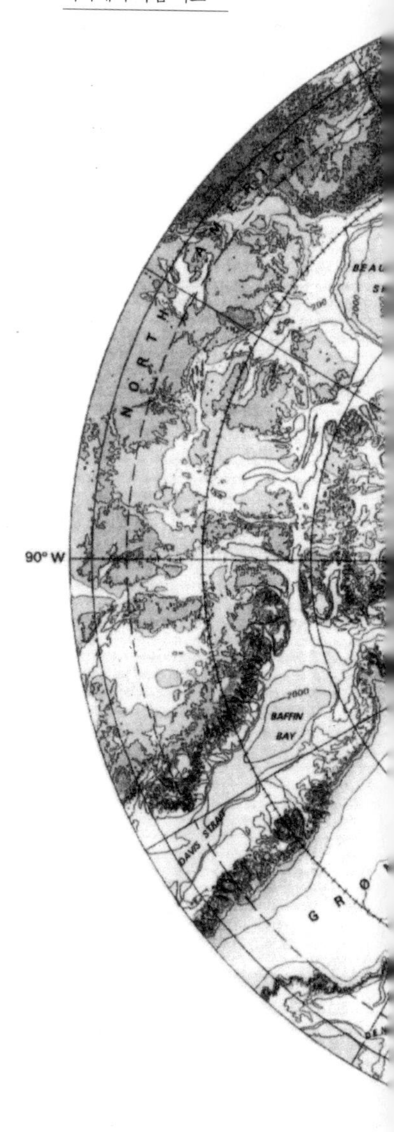

북극해의 측심 지도

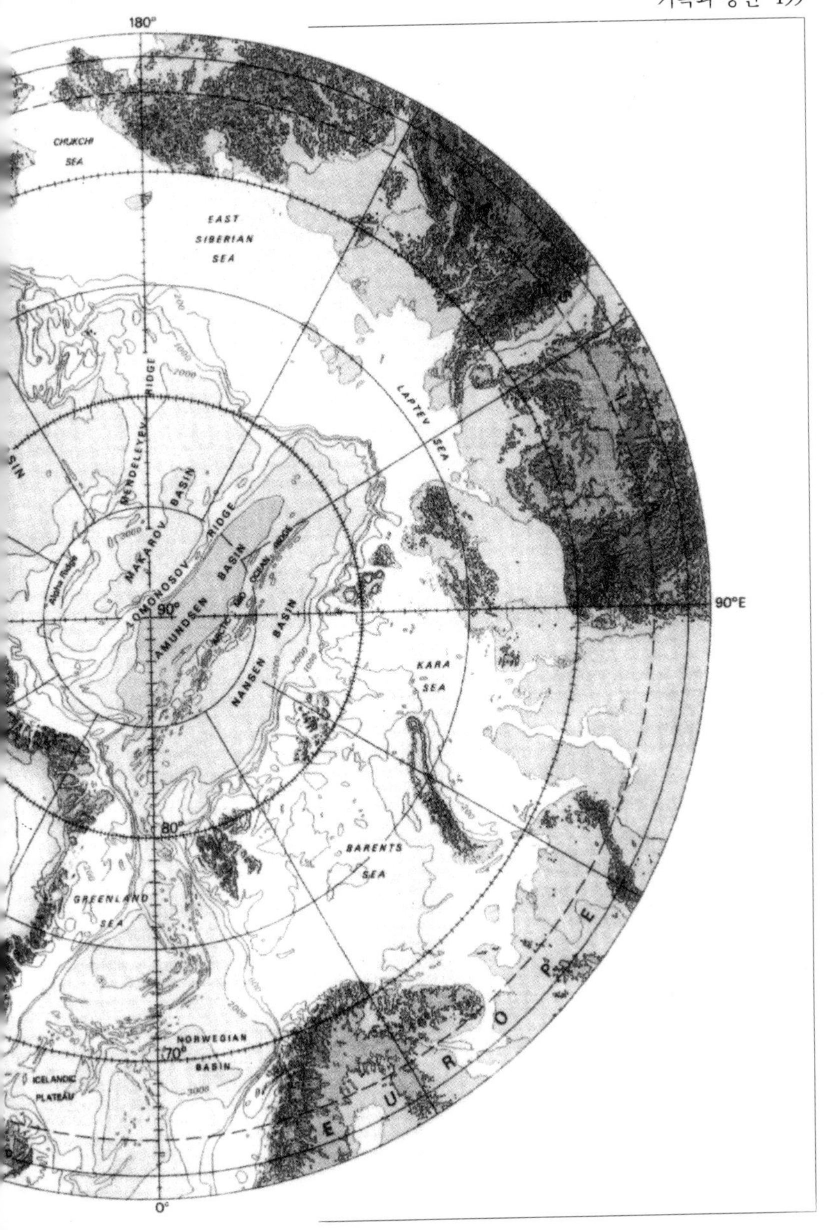
180°
CHUKCHI
SEA
EAST
SIBERIAN
SEA
MENDELEYEV
RIDGE
BASIN
MAKAROV
LOMONOSOV
RIDGE
AMUNDSEN
BASIN
NANSEN
BASIN
LAPTEV
SEA
KARA
SEA
BARENTS
SEA
GREENLAND
SEA
NORWEGIAN
BASIN
ICELANDIC
PLATEAU
90°
80°
70°
90°E
0°
E U R O P E

북극지방의 동물

하늘 위에도 얼음 위에도 물 속에도 툰드라 지대에도, 곰, 바다표범, 일각돌고래, 사향소나 여우, 매, 올빼미, 뇌조 따위 온갖 종류의 동물들이 서식하고 있다.

멸종위기에 처한 사향소는 툰드라 지대에 서식하고 있다.

북극에만 사는 북극곰은 북극의 왕자이다. 무게가 800kg정도 나가는 북극곰은 육식동물로, 바다표범을 가장 즐겨 먹는다. 에스키모는 가죽과 기름을 얻기 위해 북극곰 사냥을 한다.

해마는 주로 그린란드 북쪽 지역, 베링해, 북극해 등에서 무리지어 산다.
해마는 뾰족한 엄니를 이용해서 먹이를 찾으며, 얼음 위를 가로질러 이동한다. 큰 것은 무게가 1,500kg까지 나간다.

바다표범의 기름과 가죽을 얻기 위해, 에스키모와 북방민족들은 그린란드의 바다표범을 끊임없이 사냥한다.

남극의 거주자들

생존에 적합한 환경이 아님에도 거의 60종에 이르는 동물들이 남극에서 서식하고 있다. 이중 가장 기이하고 잘 알려지지 않은 것이 펭귄이다. 이 새는 날지는 못하지만 시속 50km의 속도로 헤엄칠 수 있고 그중 몇몇은 90cm나 도약할 수 있다.

남극 대륙에는
아델리펭귄(아래와
203페이지 위)과
황제펭귄(오른쪽과
203페이지 아래),
두 종류의 펭귄이 있다.

아델리펭귄의 산란기는 한겨울이다.
수컷이 알을 품는데, 배로 알을 감싸 따뜻하게 한다.
새끼펭귄은 두꺼운 털로 추위를 막아 주는 부모 곁에서 처음 몇 주를 보낸다.

황제펭귄은 거대한 무리를 이루며 군거한다.
가장 큰 집단은 5만 마리에 달하는 것도 있다.
군집생활은 새끼를 키울 때에도 유리하다.

극지방 광고

탐험에 소요되는 비용은 민간기업의 지원으로 충당된다. 그중 한 가지 방법이 광고인데, 극지방에서도 자기 회사의 상품이 효과적으로 소비된다는 내용의 광고는 따뜻한 지역에 사는 많은 소비자에게 깊은 인상을 줄 것이 분명하기 때문이다.

선원이 마르티니크 펀치를 소개한다.

비행기 한 대가 그린란드 상공을 저공비행하며 장비를 투하하고 있다.

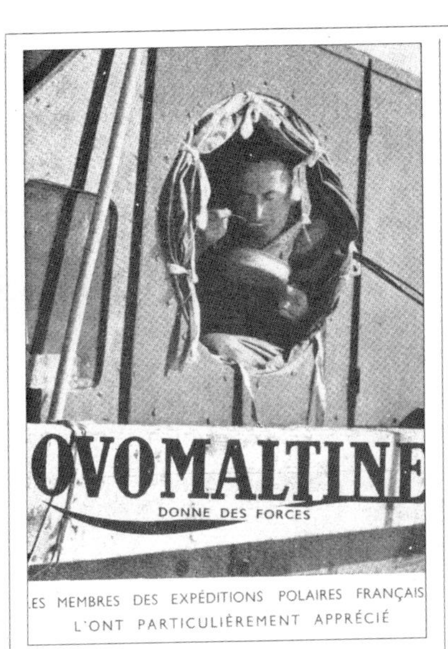

미셸 바레가 광고중인 식품을 시식하고 있다.

탐험대의 요리사 라울 데스프레가 남극의
자원을 이용하는 방법을 실연하고 있다.

프랑수아와 타뷔토가 정확한 지점을 파악하기
위해 천문관측의를 이용하고 있다.

한국의 극지방 탐사

눈과 얼음의 나라, 인내의 한계를 시험하는 혹한의 세계, 극지방. 그러나 한국에게 그곳은 더 이상 '미지의 땅'이 아니다. 지금까지 한국은 모두 네 차례에 걸쳐 극지방에 도전장을 던져 남극점에 한 번, 북극점에 두 번 그 발자취를 남겼다. 한국이 처음 극권에 탐사대를 떠나 보낸 것은 지난 1978년. 그후 북극점은 13년 만에, 남극점은 16년 만에 한국인의 굳은 기상 앞에 무릎을 꿇은 것이다. 또한 이 지구촌 최후의 오지는 최근 한국북극해도보횡단원정대의 성공으로 우리에게 더욱 가깝게 다가왔다.

북극점 원정사

1978년, 중앙일보원정대가 펼친 그린란드 탐사의 목적은 북극점 공격이 아니라, 북극권 탐사에 있었다. 원정대는 북위 81~82도권에서 그린란드와 베링 해협 일대의 자연과 문화를 조사했다. 그러나 스노 모빌과 개썰매가 동원된 탐사에는 당시로서는 상당한 의욕과 모험이 따랐을 뿐만 아니라 한국 극지방 원정사에 획기적인 시도로 기록되었다. 이 탐사는 이후 1989년부터 1991년까지 세 차례에

북극 지방에는 삐죽삐죽 솟아오른 얼음야산이라 할 수 있는 난빙대가 수백 킬로미터에 걸쳐 펼쳐져 있다. 이것은 극점 정복을 어렵게 만드는 중요한 장애요인이다.

걸친 한국인의 북극 러시(rush)에 '참조(參照)의 틀'이자 '할 수 있다'는 자신감을 불어넣는 디딤돌이었던 것이다.

세계 등산사상 세번째로 겨울철 에베레스트 등정에 성공(1987년), 단번에 지구촌 최고의 알피니스트로 떠오른 허영호는 에베레스트 등반 이후 높이 대신 넓이로 자신의 탐험영역을 확장하고 싶어했다. 고산(高山) 대신 극지, 그중에서도 북극점에 도전하고자 했던 것이다. 그는 사전단계로 북극점보다 쉽고 안전한 자북극점부터 공격하기로 했다. 자북극점이란 지구자기의 중심이 되는 지점으로 보통 북극점이라고 부르는 지리적 북극점과 구분된다. 자북극점은 북위 75도 부근에 위치한 배서스트섬에 있으며, 지구의 꼭대기인 지리적 북극점에서 약 1,600km 가량 남쪽에 있다. 1989년, 허영호를 비롯한 한국자북극점원정대(대장 이봉훈)는 예상대로 20여 일에 걸친 도보행군으로 자북극점을 밟았다.

북극점이 정상이라면 자북극점은 베이스 캠프 격이다. 자북극점 도달로 자신감을 얻은 한국 탐험대는 이듬해인 1990년 오로라북극점탐험대(1차, 대장 고정남)를 출정시켰다. 그러나 북극점은 역시 완강했다. 캐나다 최북단 엘스미어섬 워드헌터곶에서 출발한 탐험대는 2개월에 걸친 600km의 도보행군 끝에 북극점을 약 200km 앞둔 북위 88도 지점에서 북극권 특유의 리드(Lead. 빙원 중의 물길로 開水面이라고도 함)에 가로막혀 발길을 돌려야 했다.

좌절을 거울삼아 오로라북극점탐험대(2차, 대장 고정남)가 1991년 3월 8일 다시 같은 코스로 출정했다. 5월 9일, 워드헌터곶을 떠난 지 72일 만에 최종열 대원이 마침내 북극점에 태극기를 세웠다. 800km의 도보행군 도중 4월 14일에는 허영호와 최종인 대원이, 24일에는 정재환 대원이 발목 부상으로 후송되는 값진 희생을 치른 대가였다.

1995년 5월 17일 또다시 북극점에 태극기가 꽂혔다. 이번에는 허영호 대장을 비롯 중앙일보 95 한국북극해횡단원정대 다섯 명이 동시에 북극점을 정복했다. 1995년 3월 12일, 러시아 땅끝 마을인 콤소몰레츠섬 아크티체스키곶을 출발한 이들은 북극점 도달에 만족하지 않고 내친걸음에 서쪽으로 발길을 재촉, 마침내 6월 20일에 캐나다 워드헌터곶에 도착했다. 동력장비의 도움을 전혀 받지 않고 1,800km의 얼음바다를 한걸음씩 걸어서 건넌 것이다. 북극해 도보횡단은 세계 탐험사상 두번째 대기록이었다.

또한 오로라북극점탐험대 1차 원정 때는 리드에 걸려, 2차 원정 때는 부상으로 행군을 포기해야 했던 허영호는 자북극점 원정 이래 6년 만에 북극점을 내딛는 감격을 맛봄으로써 오랜 숙원을 풀었다. 이로써 그는 에베레스트와 남극(1994년), 북극 등 지구상 3대 극지를 모두 직접 밟은 사상 두번째 탐험가가 되기도 했다.

남극점 원정사

북극점 원정이 우여곡절을 겪은 데 비해 남극점은 단 한 차례 공격으로 정복할 수 있었다. 한국일보 94 한국남극점탐험대(대장 고인경)는 1993년 11월 29일 남극 전진기지인 패트리어트힐에서 출발, 44일에 걸친 1,400km의 장정을 도보횡군한 끝에 1994년 1월 11일 남극점에 도착했다. 공격대장 허영호를 비롯한 4인이 이루어 낸 쾌거였다. 이제 한국은 영국, 이탈리아, 일본에 이어 남극점 도보탐험에 성공한 네번째 나라로 기록되었다.

남·북극 원정의 어려움과 차이점

남극과 북극 모두 빠를 경우 초속 30m 이상의 강풍이 불어 닥치며, 기온도 영하 40℃ 이상 내려가는 일이 많아 자칫 동상에 걸리기 쉽다.

그러나 단순 비교를 하자면 남극보다 북극 도전의 조건이 더 열악하다 할 수 있다. 남극은 땅 위에 만년설이 쌓인 설원인 반면, 북극은 수심 3,000~4,000m의 북극해가 얼어 형성된 얼음바다이기 때문이다. 또 남극은 약간의 경사진 곳을 제외하면 비교적 평평하다고 할 수 있지만, 북극은 삐죽삐죽한 얼음야산이 솟은 난빙대(難氷帶, Press Ridge)가 수백 킬로미터씩 펼쳐지는가 하면, 얼음과 얼음 틈새에 검푸른 북극해가 삐져 나와 넘실대는 리드가 발목을 잡기도 한다.

리드나 난빙대는 모두 북극해의 조류 움직임과 간만의 차이 때문에 생긴다. 조류에 떠밀리는 얼음덩어리들이 부딪치며 집채만한 난빙대를 이루고, 서로 반대편으로 갈라지면서 얼음 사이로 바닷물이 넘쳐 나오는 리드를 형성하기도 한다. 게다가 이 같은 현상은 눈 깜짝할 사이에 진행된다. 멀쩡한 얼음판 위에 생긴 5cm 정도의 작은 틈새가 불과 5분도 안 되어 10m짜리 해협으로 돌변하는가 하면 거대한 얼음덩어리들이 원정대를 압사시킬 듯 양쪽에서 굉음을 내며 밀려 들어오기도 한다. 여기에다 잦은 북극곰의 출현도 까다로운 조건으로 들 수 있다.

한국 원정팀의 성과와 전망

각국 탐험대는 스노 모빌과 모터사이클, 경비행기와 초경량 비행기, 잠수함, 쇄빙선, 개썰매, 비행선 등을 동원하여 속도경쟁을 벌여 왔다. 그러나 최근에는 원정의 질이 중요시되고 있다.

가장 고전적이며 '진짜 탐험'으로 인식되는 원정방법은 도보원정이다. 지금까지 네 차례에 걸친 한국팀의 남 · 북극 원정이 모두 도보에 집중된 것은 원정의 질을 중시하는 한국인의 도전의식과 기개 때문이다.

걸어서 남 · 북극점 도달과 북극해 횡단에 성공한 만큼 앞으로는 '더 빨리'라는 속도경쟁과 함께, 될 수 있으면 보급수를 줄이려는 데 초점을 맞춰야 할 것이다. 아울러 여럿보다는 소수, 혹은 단독으로 원정에 나서서 극지방을 향한 도전의 강도를 높여 가야 한다.

《중앙일보》 임용진 기자

1994년 1월 10일, 한국 탐험대가 드디어 남극점을 정복했다. 홍성택, 허영호, 김승환, 유재춘(왼쪽에서 오른쪽으로)이 손을 흔들며 환호하고 있다.

북극	남극
B.C. 330 마르세유 태생 그리스 항해가 피테아스, 아이슬란드에 도착했다고 추정됨 983 에릭 르 루, 그린란드에 노르웨이 식민지 건설	
	1405~1433 정화, 인도양과 아프리카 연안에서 중국의 대함대를 이끌고 여섯 차례 탐험을 지휘(명나라) 1497 바스코 다 가마, 희망봉 통과(포르투갈) 1520 마젤란, 자신의 이름을 붙인 해협을 발견. 그곳을 통과해 필리핀에 도착(스페인)
1553 휴 윌러비 경과 챈슬러, 북동항로를 찾아서 출발(영국) 1576~1578 마틴 프로비셔, 북서항로를 찾아 세 차례 여행을 시도(영국) 1585~1587 존 데이비스, 북서항로를 찾아 세 차례 여행을 시도(영국) 1594~1597 빌렘 바렌츠, 북동항로를 찾아 세 차례 여행을 시도(네덜란드) 1609~1611 헨리 허드슨, 북서항로를 찾아 세 차례 여행을 시도. 허드슨만을 발견(영국)	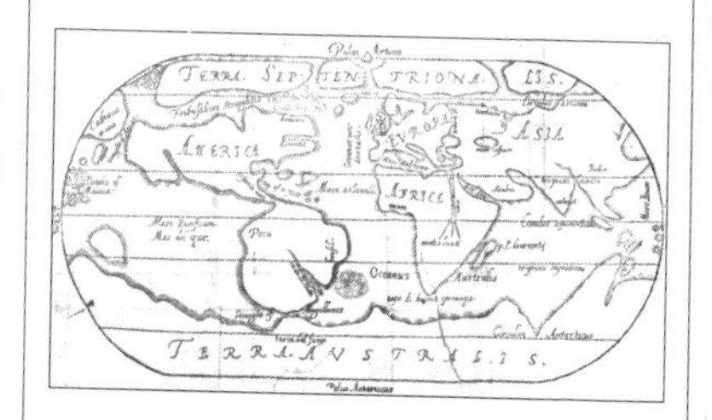
	1616 르메르와 슈텐, 혼곶을 지남(네덜란드) 1642 아벨 타스만, 태즈메이니아와 뉴질랜드 서쪽 해안을 발견. 그는 이곳을 남극의 최북단으로 생각(네덜란드)
1648 코사크인 세묜 데즈네프, 시베리아와 알래스카 사이의 항로를 통과(러시아) 1721 한스 에게데 목사, 그린란드를 식민지로 만들고 기독교 교리를 전파(덴마크와 노르웨이) 1725~1742 비투스 베링이 이끄는 북극탐험대, 베링 해협과 시베리아의 북쪽 해안 전역을 탐사(러시아)	1739 부베, 대서양에서 그의 이름을 붙인 섬을 발견(프랑스)
1778 제임스 쿡, 알래스카와 북동 시베리아 해안을 탐험(영국) 1818 존 로스, 북서항로를 찾아 나섰으나 실패(영국)	1773 제임스 쿡, 레졸루션호와 어드벤처호를 지휘하여 북극권 통과(영국)
1819~1820 에드워드 패리, 헤클라호와 그리퍼호를 타고 멜빌섬까지 이르는 북서항로의 절반을 발견(영국) 1819~1822 존 프랭클린, 육로를 통해서 북서항로의 나머지 반을 발견(영국) 1820~1823 페르디난트 폰 랭글, 시베리아 전해안 탐험하고 개썰매로 콜리마와 데즈네프곶 사이 섬을 발견해 자기 이름 붙임(러시아)	1819 윌리엄 스미스, 윌리엄스호를 타고 사우스셰틀랜드로 항해(영국) 1819~1920 에드워드 브랜스필드, 윌리엄스호 선상에서 남극반도 발견(영국). 벨링스하우젠, 보스토크호와 미르니호를 이끌고 남극대륙을 일주(러시아) 1821~1822 바다표범 사냥꾼들 벤자민 펜들턴과 너새니얼 파머, 사우스오크니 제도를 발견(미국)

북극

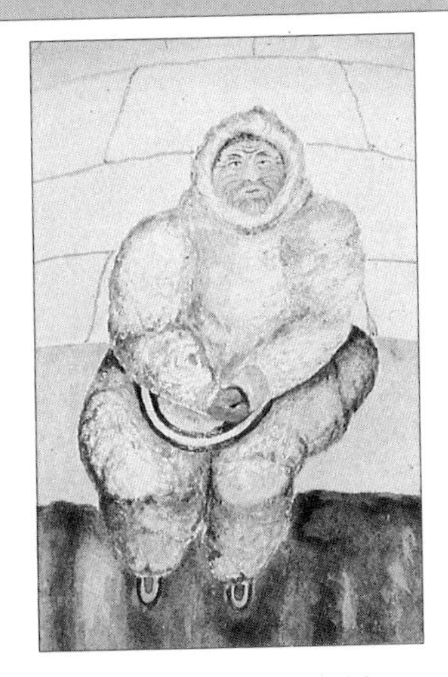

1872~1874 카를 베이프레히트와 율리우스 파이어, 타게트호프호를 타고 프란츠 요제프 랜드 발견(오스트리아)

1875~1876 조지 나레스, 알러트호와 디스커버리호로 북위 83도 20분까지 진격하고 엘스미어섬을 탐사(영국)

1879~1882 드 롱, 자넷호로 북극해를 표류. 배가 난파됨(미국)

1881~1884 그릴리, 캉어 요새에서 겨울을 지낸 다음, 북극에 도전하여 나레스의 기록을 6.5km 경신(미국)

1882~1883 제1회 국제 북극년(年)

1888 프리초프 난센, 그린란드 대빙원을 동쪽에서 서쪽으로 횡단(노르웨이)

1891~1902 피어리, 그린란드와 엘스미어섬 북쪽을 탐사. 북극으로 가는 첫 시도에서 북위 84도 17분에 도달(미국)

1893~1896 난센, 프람호를 타고 북극해를 가로질러 표류(노르웨이)

1894~1897 잭슨, 프란츠 요제프 랜드에서 겨울을 지냄(영국)

1898~1902 오토 스베르드럽, 프람호로 엘스미어섬 해안에서 몇 해 동안 겨울을 지낸 뒤 서쪽 군도를 탐사(노르웨이)

1899~1900 루이스 아마데우스 왕자, 루돌프섬에서 겨울을 지냄. 왕자의 부관 움베르토 카그니, 북극으로 간 난센의 기록을 간발의 차로 경신(이탈리아)

남극

1822~1824 제임스 웨들, 제인호와 뷰프로이호를 이끌고 남위 74도 15분 웨들해에 도달(영국, 엔더비)

1828~1831 헨리 포스터, 챈티클리어호를 타고 디셉션섬에서 지자기와 중력을 최초로 측정하는 데 성공

1830~1832 존 비스코, 툴라호와 라이블리호를 이끌고 엔더비 랜드, 애들레이드섬, 그레이엄 랜드를 발견(영국, 엔더비)

1837~1840 쥘 뒤몽 뒤르빌, 아스트로라브호와 젤레호를 티고 아델리 랜드와 클라리 해안을 발견, 자남극점의 위치를 결정(프랑스)

1838~1839 존 발레니, 엘리자 스콧호와 사브리나호로 발레니섬을 발견(영국, 엔더비)

1838~1842 존 윌크스, 빈센호, 피콕호, 포퍼스호, 시걸호, 플라잉 피시호, 릴리프호로 항해. 빈센호와 피콕호로 윌크스 랜드 발견(미국)

1839~ 1843 제임스 클라크 로스, 에레버스호와 테러호로 빅토리아 랜드, 에레버스 화산, 로스 빙붕 발견. 자남극점 위치 결정(영국)

1892~1894 C. A. 라르센, 제이슨호를 타고 웨들해 횡단. 라르센 빙붕 발견(노르웨이)

1897~1899 아드리앙 제를라슈 남작, 벨지카호로 벨링스하우젠해에서 겨울을 지냄(벨기에)

1898~1900 C. E. 보크그레빙크, 서던 크로스호를 지휘해 아데어곶에 최초 기지 건설(영국)

1901~1904 로버트 F. 스콧, 디스커버리호를 이끌고 맥머도만에서 겨울을 지냄(영국)

1901~1903 에릭 폰 드리갈스키, 가우스호를 타고 빌헬름 2세 랜드에서 겨울을 지냄(독일)

북극	남극
	1901~1903 오토 노르덴시욀드, 라르센이 지휘한 안타르티크호로 항해. 스노힐섬에서 겨울을 지냄. 안타르티크호는 얼음압력으로 난파. 아르헨티나 사람들이 탐험대를 구조
	1902~1904 윌리엄 브루스, 스코티아호로 웨들해에서 코츠 랜드를 발견(스코틀랜드)
1903~1905 로알드 아문센, 그조아호를 타고 북서항로 개척에 성공(노르웨이)	1903~1905 장 밥티스트 샤르코, 프랑세호로 부스섬에 도착. 알렉산드르 1세 섬까지 수로측량 지도를 제작(프랑스)
1905~1906 피어리, 북극 정복을 재시도하여 북위 87도 6분에 도달	
1906~1908 밀리우스 에리히센, 그린란드의 북동해안 전역을 탐사하고 피어리의 지도에 나타난 중요한 오류를 지적(덴마크)	
1908~1909 피어리, 1909년 4월 북극 정복을 발표(미국). 쿡, 1908년 4월에 북극을 정복했다고 발표(미국)	1907~1909 어니스트 섀클턴, 님로드호를 이끌고 로스섬에서 겨울을 지냄. 남극점 전방 160km 지점에 접근(영국)
1909~1912 미켈센, 그란란드에서 에리히센의 발견을 확인하고 탐사를 심화(덴마크)	1908~1910 장 밥티스트 샤르코, 푸르쿠아-파호를 이끌고 페터만섬에서 겨울을 지냄. 최초의 탐사 시작(프랑스)
	1910~1912 로알드 아문센, 프람호를 이끌고 웨일스만에서 겨울을 지내고 최초로 남극점에 도달(노르웨이)
	1910~1913 로버트 F. 스콧, 테라 노바호를 이끌고 로스섬에서 겨울을 지낸 뒤 남극점 정복. 귀환길에 네 명의 동료와 함께 사망(영국)
1912 크누트 라스무센, 썰매 34대와 개 353마리를 이끌고 북그린란드 횡단(덴마크)	1911~1912 쇼쿠 시라세, 카이난 마루호를 이끌고 남극점 정복 위해 출항. 에드워드 2세 랜드 탐험(일본). 빌헬름 필히너, 도이칠란트호를 이끌고 웨들해 깊숙한 지점에서 필히너 빙붕을 발견(독일)
1913~1915 빌키트스키, 타이미르호와 바이가쉬호를 지휘하여 북동항로 동서 횡단에 최초로 성공(러시아)	1911~1914 더글러스 모슨, 오로라호로 섀클턴 빙벽 위의 데니슨곶과 매카리섬에서 겨울을 지냄(오스트레일리아)
1913~1917 맥밀런, 캐나다 군도 북서 극단을 탐사하고 피어리가 발견한 크루커 랜드는 존재하지 않는다고 밝힘(미국)	
1913~1918 스테판슨, 캐나다 북극 탐험대와 함께 카를루크호를 타고 보포르해 탐사 시도	
1916~1919 라스무센, 그린란드 북서 지역을 탐사, 툴레 2팀(덴마크)	1914~1916 어니스트 섀클턴, 엔듀어런스호를 이끌고 와 남극 횡단을 시도하지만 실패. 엔듀어런스호는 침몰되지만 섀클턴의 노력으로 전대원 구출됨(영국)
1920~1923 라우게 코흐, 한스 에게데의 그린란드 도착 200주년 기념 탐험을 시도(덴마크)	
1922~1924 아문센, 북극해 표류(노르웨이)	1921~1922 어니스트 섀클턴, 퀘스트호로 항해. 섀클턴의 사후 탐험은 위축됨(영국)
1923~1924 라스무센, 툴레 5팀을 이끌고 육로로 북서항로를 횡단. 민족학적, 고고학적 연구 수행	
1925 아문센, 엘스워스와 함께 북극 비행탐험 시도(미국)	
1926 버드, 비행기로 북극 정복에 성공했다고 발표(미국). 아문센 · 엘스워스 · 노빌레, 노르제호로 스피츠베르겐에서 북극해를 횡단 알래스카 도착(노르웨이, 미국)	

북극	남극
1928 윌킨스와 아이엘손, 알래스카에서 스피츠베르겐까지 비행기로 횡단(오스트레일리아). 노빌레, 비행선 이탈리아호로 북극에 도착. 이탈리아호는 귀환 도중 추락(이탈리아)	1928~1930 허버트 윌킨스, 두 대의 록히드 베가기로 남극을 최초 비행(미국, 영국) 1928~1930 리처드 버드, 리틀 아메리카에서 겨울을 지냄. 삼발기 포드와 다른 두 대의 비행기로 극점을 비행하고 산을 발견(미국) 1929~1931 더글러스 모슨, 디스커버리호로 동경 75도와 45도 사이 해안을 지도로 제작(오스트레일리아)
1930~1932 알프레트 베게너, 그린란드 탐험(독일) 1930~1932 게오르크 알렉사비치 우샤코프, 북쪽 군도 전역을 탐사(구소련) 1931 왓킨스, 그린란드에서 영국 북극항공로 탐사대 지휘. 쿠르톨트, 6개월 동안 대빙원에서 홀로 겨울을 지냄(영국). 윌킨스, 잠수함 노틸러스호를 이용해 북극 탐사를 시도(오스트레일리아) 1932~1933 제2회 국제 북극년	1933~1935 리처드 버드, 리틀 아메리카 기지로 귀환. 남쪽 200km 지점에서 혼자 겨울을 지냄(미국) 1933~1936 링컨 엘스워스, 노스럽 단엽 비행기로 최초의 남극 횡단 비행 시도(미국)
1937~1938 이반 파파닌, 최초의 표류기지 SP1을 북극점에 건설(구소련)	1934~1937 존 리밀, 페놀라호를 이끌고 영국 그레이엄 랜드 탐험대와 겨울을 지냄(영국) 1938~1939 알베르트 리처, 슈바벤란트호로 항해. 여름을 프린세스 마르타 해안에서 지냄(독일)
1940 전함 코메트호, 남태평양 작전을 수행하기 위해 두 달 간 북동항로를 항해(독일)	1939~1941 리처드 버드, 리틀 아메리카와 스토닝턴섬 기지에 체류(미국)
	1943~1962 포클랜드 속령 조사단, 그레이엄 랜드와 웨들 랜드 해안에서 여러 차례 과학적 실험과 지리학적 탐사를 실시. 이 단체는 1967년부터 영국 남극조사단으로 대치됨(영국) 1946~1947 하이점프 작전, 리처드 버드와 크루젠 제독이 지휘하는 미해군 4,000명이 남극대륙을 항공사진으로 촬영하기 위해 파견됨(미국) 1947~1948 핀 론, 영국 기지 부근의 마르게리트만에서 겨울을 지냄(미국) 1947~1948 윈드밀 작전, 케첨 사령관의 지휘로 하이점프 작전 임무를 완성시킴(미국)
1948 봄 동안 북극 대부빙군 위에 연구기지를 건설하기 위해 연차(年次) 고위도 항공탐사대를 조직(구소련) 1948~1953 폴 에밀 빅토르, 여러 차례에 걸쳐 원정대와 월동팀을 조직하여 프랑스 극지탐험대와 함께 그린란드에서 활동(프랑스)	1947~1955 남극반도에 대한 칠레 정부의 연차적 탐사(칠레). 아르헨티나 정부도 남극반도에 대해 적극적인 자세를 갖춤(아르헨티나) 1949~1952 존 제버와 노르웨이 · 스웨덴 · 영국 탐험대들이 모드하임에서 겨울을 지냄(국제 빙하탐험대)

북극	남극
1950~1986 북극해를 탐사하고 그곳의 기후를 연구하기 위해 파파닌의 표류 루트를 따라 27개의 표류기지를 건설(구소련)	1949~1953 A. 루아타르 · M. 바레 · M. 마레, 샤르코 함장호와 토탕호를 이끌고 아델리 랜드에서 처음으로 세 차례의 겨울을 지낼 준비를 함(프랑스)
1950~1951 장 말로리, 툴레의 에스키모와 겨울을 지내고 잉글필드 랜드를 탐사(프랑스)	
1952~1954 코틀랜트 심프슨과 영국 북그린란드 탐험대, 퀸루이즈 랜드에 도착(영국)	
1952~1960 북극해에서 8년을 표류한 부빙 T3에 연구기지를 건설(미국)	
	1954~1955 필립 로, 키스타단호를 이끌고 전후 최초로 오스트레일리아 기지를 건설
	1955~1958 비비언 푹스 경, 에드먼드 힐러리 경의 지원으로 남극 횡단(영국, 뉴질랜드)
1957~1974 그린란드 국제 빙하탐험대(EGIG) 창설(5개국)	1957~1958 국제 지구관측년. 처음에는 12개국이 참가, 지금은 18개국이 50여 개 기지에서 체계적인 연구 추진
1958 잠수함 노틸러스호, 북극점을 지나 북극해 횡단(미국)	
1959 잠수함 스케이트호, 북극 수면 위로 부상(미국)	
1962 잠수함 레닌스키 콤소몰레츠호, 북극점에 도착(구소련)	
1966 센추리곶에서 미국인이 1,370m 깊이까지 굴착해 얼음표본을 채취(미국)	1967 영국 남극조사단, 자연환경 연구위원회 소속으로 이관됨(영국)
1968~1969 윌리 허버트와 북극해 횡단 탐험대, 개썰매를 타고 배로곶을 출발해 스피츠베르겐에 도착(영국)	1968~1969 쇼와 기지에서 남극까지 왕복거리 6,000km를 탐험(일본)
1968 플레스티드 탐험대, 4월 20일 스노 모빌로 북극점에 도착(미국)	
1971 잠수함 드레드너트호 북극점 정복(영국)	
1977 쇄빙선 아르크티카호, 8월에 북극점 정복(구소련)	1975~1977 클로드 로리위스, 미국의 항공지원을 받아 돔 C 작전을 지휘. 해발 900m에서 3,200m까지 시굴(프랑스)
1978 나오메 우에무라, 개썰매를 타고 북극점까지 단독 원정(일본)	1979~1982 랜돌프 피에네스, 북극과 남극을 잇는 세계일주
1979 D. I. 스파로와 6명의 동료, 썰매도 개도 없이 1,500km를 도보로 전진해 북극에 도착	1985~1986 로저 스완 · 로저 미어 · 가레스 우드, 스콧의 탐험로를 따라 1986년 1월 남극점에 도착(영국)
1983~1984 북극해가 주변 국가에 미치는 영향을 연구하기 위한 미젝스 작전(10개국)	1986~1987 모니카 크리스텐센과 닐 매킨타이어, 아문센의 여행로를 따라가면서 빙하를 관찰(노르웨이, 영국)
1986 W. 스테거와 J. L. 에티엔은 5월 초 독자적으로 북극 정복(미국, 프랑스)	
1988~1991 그린란드 빙상계획(Greenland Ice Sheet Project : Grip)으로 그린란드 중부 지역(북위 72도 34분, 서경 37도 37분)에서 3,500m까지 시굴(유럽 과학재단)	

참고문헌

총론

Kirwan L.P.:*Histoire des explorations polaires*, Payot, 1961
Vanney J.- R.:*Histoire des mers australes*, Fayard, 1986
Skrotsky N.:*Terres extrêmes*, Denoël, 1986
Pour Ceux qui connaissent I'anglais, la majorité des ouvrages disponibles sont publiés dans cette langue. Un beau livre bien documenté Jusqu'à l'Année géophysique:*Antarcitica*, Reader's Digest. 1985
Pour le Nord:Mirsky J.:*To the Artic*, University of Chicago Press, 1970

1장

Barrow J.:A. *Chronological History of Voyages Into the Arctic Regions*, 1818, réédité en 1971, Londres
Rey L.:*Unveiling the Artic*, Leiden, 1984
Mill H.R.:*The Siege of the South Pole*, Alston Rivers, Londres, 1905
Belov:*Histoire de l'Arctique Russe*, 4 vol. (en russe), Leningrad
Broc H.: 'Terra incognita' in *Cartes et figures de la Terre*, éd. du centre G. Pompidou, 1980

2장

Les récits de voyages publiés par les navigateurs peuvent se consulter à la Bibliothèque nationale ou dans quelques endroits spécialisés:société de Géographie, Centre d'étude arctiques, Expéditions polaires françaises
Guillon J.:*Dumont d'Urville*, France-Empire, 1986

3장

Lehane B.:*Le Passage du Nord-Ouest*, Time-Life, 1982
Amundsen R.:*Le Passage du Nord-Ouest*, Hachette, 1909
Nordenskjöld A. E.:*Voyage de la 'Vega'*, Hachette, 1883
Long G. W.:*Voyage de la 'Jeannette'*, Hachette, 1885
Nansen F.:*Vers le pôle*, Flammarion, 1897
Sundmann P.-O.:*Le voyage de l'ingénieur Andrée*, Gallimard, 1970
Peary R.:*A l'assaut du pôle Nord*, Lafitte, 1911
Cook F.:*My Attainment of the Pole*, 1911
Amundsen R.:*Roald Amundsen par lui-même*, Gallimard, 1931
Nobile U.:*Le Pôle, aventure de ma vie*, Fayard, 1974
Herbert W.:*The Noose of Laurels*, Londres, 1989

4장

Gerlache A. de:*Quinze mois dans l'Antarctique*, Bruxelles, 1943
NordenskJöld O.:*Au pôle Antarctique*, Flammarion, s.d
Scott R. E.:*Le 'Discovery' au pôle Sud*, 2 vol., Hachette, 1908;*Le Pôle meurtrier*, Hachette, 1924
Shackleton E.-H.:*Au cœur de l'Antarctique*, Hachette, 1910;*Mon expédition au sud polaire*, Mame, s.d
Charcot J.-B.:*Le 'Francais' aupôle Sud*, Flammarion, 1905;*Le 'Pourquoi-pas?' dans L'Antarctique*, Flammarion, 1910
Rouillon G., Prieux J.:*Jean-Baptiste Charcot*, Paris (EPF), 1986
Amundsen R.:*Au pôle sud, l'expédition du 'Fram'*, Hachette, 1913
Mawson D.:*The Home of the Bilzzard*, Heineman, 1915
Byrd R. E.:*Pôle Sud*, Grasset, 1937
Byrd R.E.:*Seul*, Grasset, 1940

5장

Rasmussen K:*Du Groenland au Pacifique*, Plon, 1929
Wegener E., Loewe F.:*Greenland Journey*, Blackie and Son, 1939
Victor P.E.:*Boréal*, Grasset, 1938
Victor P.E.:*La Voie lactée*, Gautier Languerreau, 1974, et autres nombreux livres de vulgarisation
Bouché M.:*Groenland, station centrale*, Grasset, 1952
Fridstrup B.:*The Greenland Icecap*, Rhodos,

Copenhague, 1966
Malaurie J.:*Les Derniers Rois de Thulé*, Plon, 1954
Simson C.-J. W.:*Northice, the story of the British North Greenland expedition*, Londres, 1957
Papanine I.:*Sur la banquise en dérive*, Albin Michel, 1948
Armstrong T.:*Russians in the Arctic*, Greenwood Press, 1972
Herbert W.:*Par-delà le sommet du monde*, Berger-Levrault, 1974
Etienne J.-L.:*Le Marcheur du pôle*, Laffont, 1986
Barré M.:*Blizzard*, Julliard, 1980
Giaver J.:*Maudheim*, Denoël, 1954
Fuchs V.:*Of Ice and Men, the Story of the British Antarctic Survey*, Nelson, 1982
Fuchs V., Hillary E.:*The Crossing of Antarctica*, Cassel, 1958
Imbert B.-C.:*Trois Ans en Terre Adélie*, revue du Palais de la Découverte, avril 1984
Dufek G.:*Operation Deepfreeze*, Harcourt Brace, 1957
Walton D.:*Antarctic Science*, Cambridge University Press, 1987
Lorius C.:*Les Glaces de l'Antarcitique*, Odile Jacob, 1991

잡지

Un certain nombre de revues consacrent des articles aux régions polaires
Internord, publiée par le Centre d'Etudes Arctiques, Paris
Polar Record, revue publiée par le Scott Polar Research Institute, Cambridge
Arctic, revue publiée par le Arctic Institute of North America, Calgary
Des articles de bonne vulgarisation paraissent régulièrement dans les revues:*Pour la Science, la Recherche, Oceanus*, Le *National Geographic Magazine* publie régulièrment des comptes rendus d'expéditions, bien illustrés
Pôle Nord 1983, Xe Colloque international du Centre d'études arctiques (J.Malaurie)

지도

Il existe un bon atlas, consacré uniquement aux régions polaires:*Polar Atlas*, CIA, Washington, 1980
Par ailleurs, l'Institut arctique et antarctique de Leningrad a publié deux magnifiques atlas, en russe, I'un pour l'Antarctique, l'autre pour l'Arctique

박물관

영국
Scott Polar Institute, Cambridge:Souvenirs des expéditions britanniques, en particulier Franklin, Scott, Shackleton. Expositions temporaires
National Maritime Museum, Greenwich:Le *James Caird*, la baleinière avec laquelle Shacklton est allé chercher du secours en Géorgie du Sud, se trouve maintenant dans ce musée
Le *Discovery* se visite maintenant dans le port de Dundee en Ecosse

러시아
Institut arctique et antarctique, Leningrad

노르웨이
Les navires *Fram* et *Gjoa* sont conservés a côté d'Oslo et peuvent être visités, ainsi que la maison de Nansen

용어풀이

난빙대(難氷帶, Press Ridge) 삐쭉삐쭉한 얼음야산으로, 북극해의 조류와 간만의 차이로 발생한다.

노트(Note) 해상 속도 단위, 1노트는 한 시간에 1해리(1,852m)를 달리는 속도이다.

돌무덤(Cairn) 기념물이나 이정표 역할을 하는 원추형 돌무더기.

리드(Lead) 부빙 사이에 난 물길을 말하며 개수면(開水面)이라고도 한다.

부빙(Ice Pack) 물위에 떠 있는 얼음덩어리.

빙구(Hummocks) 부빙이 서로 맞부딪칠 때 생기는 압력으로 상승된 얼음언덕.

빙붕(Ice Shelf) 대빙원의 끝.

빙벽(Ice Cliff) 눈이나 얼음으로 덮인 암벽.

빙산(Iceberg) 남극이나 북극의 바다에 떠 있는 거대한 얼음덩어리. 바다로 밀려 내려온 빙하가 갈라져 생긴다.

입상빙설(Névé) 빙하 상단에 보이는 알갱이 모양의 눈.

빙원(Ice Field) 얼음으로 뒤덮인 광대한 벌판, 남극대륙에는 1,280만km², 그린란드에는 160만km²에 이르는 빙원이 펼쳐져 있다.

사스트루기(Sastrugi) 바람으로 형성된 파도치듯 울퉁불퉁한 설원.

자기폭풍(Magnetic Storms) 지구자기장에 일어나는 불규칙한 변동. 지구 전역에서 자침이 빗나가고 전파통신이 교란됨.

자남극점(South Magnetic Pole) 지자기의 축이 지구 표면과 만나는 남쪽점, 곧 지침이 가리키는 남쪽 끝을 말한다. 자침이 가리키는 북쪽 끝은 자북극점(North Magnetic Pole)이라고 한다.

코치(Kochi) 빙해에 견디도록 견고하게 설계된 옛 러시아의 소형선박.

크레바스(Crevasse) 빙하의 갈라진 틈.

폭풍설(Blizzard) 강풍을 동반하는 거센 눈보라.

그림목록

제4장

제5장

기록과 증언

찾아보기

사진제공

Andréemuseet, Granna 66h, 66b, 66-67. APN, Paris 28b, 114, 119, 194, 195, 197. Archiv für Kunstund Geschichte, Berlin 12. Aschehoug, Oslo 57, 63. BBC Hulton Picture Library, Londres 141, 196. Bibliothèque de l'Institut, Paris 26-27, 172. Bibl. Nat., Paris 14, 28-29. Bodleian Library, Oxford 18. Bridgeman Art Library, Londres couverture, 80-81, 88. British Antarctic Survey, Cambridge 125. Bulloz, Paris 17b. Charmet, Paris 16, 30, 42, 69, 82-83, 85, 86, 217. Dagli-Orti, Paris 22, 68. DITE, Paris 106, 116-117. D.R. 17, 19, 23, 37, 47h, 59, 64-65, 87, 90b, 91, 101, 122, 129, 130, 131, 132, 133, 136, 137, 138, 139, 153, 154-159, 161, 162, 173, 174, 176, 177, 178-181, 196h, 201h, 204-205, 210. Edimages, Paris 36. E.T. Archives, Londres 1-10, 13, 21, 33, 99. Expéditions polaires françaises, Paris 15, 24-25. Explorer/Lorius, Paris 203b. Glydendal, Oslo 72, 73. Robert Guillard, Paris 108, 112b, 185, 186, 193. Jacana/Suinot, Paris 121b, 200b, 201b, 202g, 202d, 203h. Keystone, Paris 90, 105. Roger Kirchner 121. Claude Lorius, Grenoble 190. Jean Malaurie, Paris 170. Mansell Collection, Londres 100. Patrick Merienne, Paris 38, 56, 98, 113, 149, 188/189, 209. Musée Mac Cord, Montréal 4, 50-55. NASA, Washington 109. National Maritime Museum, Londres 46, 48-49. Nationalmuseum, Stockholm 58. National Portrait Gallery, Londres 43. Navy Academy and Museum, Annapolis 39. Gertrude Nobile, Rome 75, 76-77. Giraudon, Paris 34. Old Dartmouth Historical Society, New Bedford 128. Jean Parel, Paris 171. Pitch/Paul-Emile Victor, Paris 111, 182, 213. Roger-Viollet, Paris dos, 70, 152, 216, Royal Geographical Society, Londres 103, 104, Sipa-Press, Paris 127. Société de Géographie, Paris 35, 60-61, 71, 134. SPRI, Cambridge 11, 31, 32, 40-41, 44, 45, 47b, 62, 78, 79, 89, 92h, 92-93, 94-95, 96-97, 102, 140, 142-151, 164, 165, 167h, 167b, 175, 211 Stato Maggiore Aeronautica, Rome 74. Sygma, Paris 118, 206, 207. Wegener Institut, Bremenshaven 110, 197b.

극지방을 향한 대도전

1995년 8월 10일 초판 1쇄 발행
2012년 12월 5일 초판 24쇄 발행

지은이 | 베르트랑 앵베르
옮긴이 | 권재우
발행인 | 전재국

발행처 (주)시공사
출판등록 1989년 5월 10일(제3-248호)

주소 | 서울시 서초구 사임당로82(우편번호 137-879)
전화 | 편집(02)2046-2850 · 영업(02)2046-2800
팩스 | 편집(02)585-1755 · 영업(02)588-0835
홈페이지 www.sigongsa.com

Le Grand Défi des pôles
by Bertrand Imbert

값 7,000원
ISBN 978-89-7259-236-5 03970

파본이나 잘못된 책은 구입하신 서점에서 교환해 드립니다.